Tamara S. Evans

Formen der Ironie in Conrad Ferdinand Meyers Novellen

TAMARA S. EVANS

Formen der Ironie in Conrad Ferdinand Meyers Novellen

FRANCKE VERLAG
BERN UND MÜNCHEN

Zaja und Tati gewidmet

Druck: Friedrich Pustet, Regensburg
ISBN 3-7720-1476-3

EINLEITUNG

I. ZUR ZIELSETZUNG UND METHODIK

Conrad Ferdinand Meyer hat sehr spärlich über seine Ironie-Konzeption Auskunft gegeben. Ironie ist jedoch ein Werk-Prinzip, das in seinen Novellen in verschiedenen Erscheinungsformen auftritt; sowohl die Form und die weltanschaulich verankerte Themenstellung als auch die Haltung gegenüber seinen Erzählergestalten und dem Vorgang des Erzählens an sich sind in Meyers Novellen von einer durchgängigen Ironie gekennzeichnet.

Das Ziel der vorliegenden Arbeit ist doppelter Art: Es gilt, zunächst prävalente und kontinuierliche Formen der Ironie in Meyers Novellen herauszukristallisieren, und anschliessend zu einem Verständnis der Funktion des Ironischen im Meyerschen Schaffen zu gelangen.

Methodisch wird so vorgegangen, dass jeweils zwei oder drei Novellen exemplarisch ins Zentrum der Untersuchung einer bestimmten Erscheinungsform der Ironie gerückt werden; das bedeutet also auch, dass in den vorliegenden Untersuchungen der einzelnen Novellen nicht alle Spuren des Ironischen diskutiert werden, da ich mich im wesentlichen jeweils auf eine ganz spezifische Form der Ironie beschränke.

Die behandelten Novellen sind Das Amulett (1873), Die Versuchung des Pescara (1887), Der Schuss von der Kanzel (1878), Der Heilige (1879), Das Leiden eines Knaben (1883), Plautus im Nonnenkloster (1881) und Die Hochzeit des Mönchs (1884). - Da die Ironie ein kontinuierliches Prinzip Meyerschen Schaffens ist, könnte an sich fast jede Novelle sowohl von der Themenwahl als auch vom Stil her auf Formen der Ironie hin untersucht werden. Die Auswahl der Novellen und ihre Einteilung nach bestimmten Formen der Ironie wurde unter drei Kriterien vorgenommen: (1) Die Beobachtungen sollen sich auf diejenige Form des ironischen Erzählens konzentrieren, die mir besonders prägnant erscheint, an erster Stelle die polare Themenstellung in Das Amulett und Die Versuchung des Pescara; wichtig auch die Ironisierung von Erzähler und Erzählvorgang in Plautus im Nonnenkloster und Die Hochzeit des Mönchs. (2) Ironie-Aspekte sind zu untersuchen, die bisher auf Kosten anderer nicht genügend beachtet worden sind. Sofern über die Ironie im Heiligen geschrieben wurde, bezogen sich die Auslegungen meist auf Armbruster und auf die zweideutige Gestalt des Thomas Becket; die Ironie als ein das Werk wesentlich strukturierendes Prinzip ist hingegen nicht eingehend analysiert worden; ähnlich verhält es sich mit dem Schuss von der Kanzel, wo man zum Beispiel in General Wertmüller den Freigeist und Ironiker des öfteren erkannt hat, das Spannungsverhältnis und ironische Zusammenspiel der stofflichen Ebenen in der Interpretation aber zu kurz kam. (3) Oder aber es wird eine Novelle behandelt, die wie Das Leiden eines Knaben vom Gesichtspunkt der erzählerischen Ironie überhaupt noch nicht interpretiert worden ist.

Vier Prosawerke C. F. Meyers - Jürg Jenatsch, Gustav Adolfs Page, Die Richterin und Angela Borgia - werden nicht berücksichtigt. Jürg Jenatsch, Meyers einziger Roman, gehört aus rein gattungsmässigen Erwägungen nicht in diese Arbeit; zudem hat schon Valentin Herzog in seiner Dissertation Ironische Erzählformen bei Conrad Ferdinand Meyer dargestellt am "Jürg Jenatsch"[1] Meyers ironische Erzähltechnik - besonders auch ihre werkstrukturierenden Aspekte - bis in alle Einzelheiten untersucht, seine Bemerkungen über die symmetrische Anordnung der Figuren des Romans waren richtunggebend für meine eigenen Beobachtungen über die Personenkonfiguration im Heiligen. - Bei den Vorarbeiten zu Gustav Adolfs Page erwies sich, dass die polare Themenstellung in der Struktur zwar angelegt, in den hier ausgewählten Novellen jedoch mit stärkerer Prägnanz durchkomponiert ist; auch in struktureller Hinsicht ist diese Novelle oft verschwommen und wirkt im Vergleich mit der profilierten Figurenkonstellation im Heiligen und der raffinierten Konstruktion verschiedener stofflicher Ebenen und literarischer Anspielungen im Schuss von der Kanzel schemenhaft. - Auf eine Untersuchung der Richterin und Angela Borgia wurde verzichtet, weil in beiden Werken eine forciert wirkende Harmonielösung angestrebt wird, die prinzipiell keinen Raum für ironische Ambiguität gewährt und meines Erachtens für Meyers Schaffen im besten Sinn untypisch ist. Überdies erscheint der dichterische Wert eines mit Klischees belasteten und allzu bewusst komponierten Werkes wie Die Richterin fragwürdig. Mit diesen kritischen Bemerkungen soll nicht abgestritten werden, dass auch in diesen Novellen - häufiger in Angela Borgia als in Die Richterin - Formen Meyerscher Ironie vorhanden sind, nur dass diese sich überzeugender und künstlerisch gelungener an Hand anderer Novellen darstellen lassen.[2] Warum gerade in diesen beiden Werken die Ironie Meyers der Kontinuität entbehrt, ist eine interessante Frage, auf die sich nur unter Einbezug biographischer Daten und Ereignisse eine Antwort finden liesse, wovon ich jedoch weitgehend Abstand nehmen möchte.

Wegen des vieldeutigen Charakters der Ironie ganz allgemein fragt es sich, von welchem Standpunkt denn die Formen der Ironie in Meyers Werk untersucht werden sollen. Von einigen wenigen Ausnahmen abgesehen, münden die Beobachtungen zu Meyers Ironie meist in Biographismus und sind deshalb prinzipiell keine Formstudien. Ich habe versucht, von einer anderen Ausgangsposition an Meyers Werk heranzutreten und von der traditionellen, in der Meyer-Literatur verankerten Konzeption seiner Ironie - ohne sie ausser Acht zu lassen - eine gewisse Distanz zu wahren. Wegweisend waren für mich vor allem drei Arbeiten: Wayne C. Booth, _A Rhetoric of Irony_,[3] Helmut Koopmann, "Thomas Mann: Theorie und Praxis der epischen Ironie"[4] und D. C. Muecke, _The Compass of Irony_.[5] Diese Studien stellten mir nicht nur das terminologische und methodologische Gerüst zur Verfügung, mit dem sich die Darstellung ironischer Hauptformen präziser erstellen liess, sondern sie vertreten auch Betrachtungsweisen der Ironie, die für meine eigene Auffassung über die Funktion des Ironischen im Meyerschen Schaffen Anhalt gegeben haben.

Vorausschauend darf gesagt werden, dass Meyer durch gewisse durchgehende, fundamental ironische Verfahrensweisen ein widerspruchsvolles und bedingtes Weltbild gestaltet hat; und dass dem ironischen Dichten und Sehen in Meyers Werk eine wesenhaft konstruktive Funktion zukommt, weil es nämlich wegbereitend zu Einsichten lenkt, die eben nur durch die Ironie und nicht anderweitig zu erreichen sind.

II. ZUM PROBLEM DES IRONIEBEGRIFFS BEI C. F. MEYER

Mit dem Thema der Ironie im Werk von Conrad Ferdinand Meyer kann man heute schwerlich Anspruch auf gänzliche Originalität erheben. Schon vor der Jahrhundertwende und noch zu Lebzeiten des Dichters ist auf die Ironie bei Meyer hingewiesen worden.[1] Auffallend - damals wie heute - ist dabei die Tatsache, dass kein Consensus besteht, wie die Ironie des Dichters genau zu umreissen und worauf sie zurückzuführen ist.

Bereits in den begriffsbestimmenden Untersuchungen zum Phänomen der Ironie in der Literatur ganz allgemein tritt immer wieder klar zu Tage, dass auf dem Gebiet wenn nicht Verwirrung, so doch Unstimmigkeit herrscht, und von den verschiedensten Interpreten wird jeweils darauf hingewiesen, wie schwer fassbar der Begriff sei, wie dehnbar, wie proteusartig.[2] Es fehlt also an einer allgemeinverbindlichen Definition, was letzten Endes zeigt, dass eben das Phänomen der Ironie an sich äusserst komplex ist.

In der Antike schon bezeichnet "Ironie" grundsätzlich zweierlei: Erstens ist sie eine Redefigur, deren Eigenschaft es ist, dass "der weniger gewichtige (...), oft geradezu der gegensätzliche Ausdruck an Stelle des eigentlich gemeinten verwendet wird",[3] die sogenannte ironische Bemerkung also. Noch Goethe sieht in der "direkten Ironie" (d.h. in der ironischen Bemerkung) ein rednerisches Mittel, welches das "Tadelnswürdige lobt und das Lobenswürdige tadelt", ein Mittel, das "nur höchst selten angewendet werden sollte".[4] Selbst heute scheint dies die landläufige Bedeutung des Ausdrucks "Ironie" zu sein.[5] - Zweitens aber ist Ironie vor allem auch eine Haltung oder Gesinnung, in deren Zeichen ein ganzes Leben stehen kann.[6] Es handelt sich hierbei um die "Ironie der Denkweise", wie Beda Allemann sie nennt, "die mit einer iron(ischen) Gesamthaltung...verbunden ist und sich nicht immer in einzelnen iron(ischen) Wendungen auszuprägen braucht", sondern vielmehr Ausdruck findet im "hohe(n) ironische(n) Stil", der sich dadurch auszeichnet, "dass er auf die Reihung von iron(ischen) Bemerkungen zugunsten einer untergründigen und durchgängigen Ironie verzichtet".[7] - Kurz, ein und derselbe Ausdruck hat herhalten müssen, um zwei formal und funktional verschiedene, bisweilen aber auch gemeinsam vorkommende Erscheinungen zu bezeichnen; es gilt also zu unterscheiden zwischen (a) ironischen Stilmitteln, die in einzelnen Formulierungen oder Sätzen deutlich erkennbar sind und (b) dem ironischen Stil, der an einen ganz bestimmten Charakter und eine bestimmte Welterfahrung gebunden ist; zwar können ironische Stilmittel den ironischen Stil ergänzen, doch gelangt dieser auf umfassendere Art und Weise zum Ausdruck, etwa durch den Kontext, durch die Werkstruktur, die Darstellungsweise des Themas, die Figurenkonstellation, die Gegenüberstellung verschiedener stofflicher Ebenen, etc.

Beide Erscheinungsformen der Ironie findet man im Werk Conrad Ferdinand Meyers vertreten, wobei aber der zweite Typus der weitaus charakteristischere ist. - Aus dem folgenden kurzen Überblick der Meyer-Literatur zur Ironie in seinem Werk lässt sich leicht ermitteln, wie ganz und gar unterschiedlich, bisweilen durchaus einseitig seine Ironie aufgefasst worden ist.

In etlichen kürzeren kritischen Kommentaren und Besprechungen wird Meyers Ironie fast ausschliesslich entweder mit Spätzeitlichem und Epigonenhaftem seiner Epoche oder aber mit des Dichters ganz persönlichen Lebensproblemen in Zusammenhang gebracht. So zum Beispiel Franz Ferdinand Baumgarten, der fand, Meyer habe im "Gleichnis jener fremden grossen Schicksale" - er meint Meyers Helden, die späte Enkel seien und keine Söhne hätten - "seine eigene Lebensgeste gestaltet: seine ironische und wehmütige Entsagung".[8] - Auch noch Fritz Martini fasst Meyers Ironie als Ausdruck der Spätzeitstimmung auf; daneben ist Martini allerdings einer der wenigen, welche dem Ironischen bei Meyer ebenfalls seine Wichtigkeit als Form-Prinzip zugestehen; er deutet an, ohne allerdings im Einzelnen darauf einzugehen, dass bei Meyer die Ironie immer wieder den Glauben an die Paradoxie des Lebens zum Ausdruck bringe.[9] Völlig polemisch und ungerechtfertigt ist das Urteil von Burkhard und Stevens, wenn sie behaupten, Meyers Ironie sei Ausdruck der pessimistischen und defaitistischen Philosophie eines Schwächlings, dem es auf dem "Kriegsnebenschauplatz" am besten behagt habe![10]

Neben jenen Arbeiten, die mit einem blossen Hinweis oder einigen kurzen Beobachtungen die Ironie in Meyers Werk streifen, haben sich einige Studien eingehender mit dem Auftreten und den Formen der Ironie bei C. F. Meyer auseinandergesetzt. Besonders aufschlussreich ist Werner Oberles kurzer Artikel "Ironie im Werke C. F. Meyers".[11] Er unterscheidet zunächst zwischen der subjektiven Ironie der Personen, die ihr wirkliches Denken und Wollen verbergen, hingegen scheinbar akzeptieren, was sie im Grunde ablehnen oder belächeln; und der objektiven Ironie des Schicksals, welche auf grossem Plan die Bedingtheit menschlichen Strebens überhaupt entlarvt. Werner Oberle ist der erste, der in Meyers Ironie wesentlich mehr sieht als den "Schutzmantel eines Neurasthenikers" oder die müde, spätzeitliche Lebensgeste. Die Ironie stehe im engsten Zusammenhang mit Meyers dichterischer Weltschau; sie sei "das Erlebnis und die Ausdrucksweise eines Dichters, der unter der Ohnmacht des Menschen leidet, und zugleich grössere Zusammenhänge ahnt, im Vergleich zu denen alle vordergründige Not klein erscheint". Meyer sei ein "grosser, echter Ironiker".[12] Wichtig erscheint mir unter anderem, dass Oberle sorgfältig zwischen Ironie als Erlebnis einerseits und Ironie als Ausdrucksweise andererseits unterscheidet; dass er Meyers ironischen Stil auf dessen ironische Welterfahrung zurückführt. - Im Vergleich zu Werner Oberles Arbeit bleibt ein im selben Jahr erschienener Artikel von Alfred Zäch an der Oberfläche haften, beschäftigt er sich doch vorwiegend mit ironischen Bemerkungen in den Novellen, ohne je zu einer gewichtigeren Definition der Meyerschen Ironie vorzustossen. Die Ironie sei eine "charakteristische und nicht unbedeutende Seite" des Dichters, aber doch nicht die "Grundlage von Meyers Wesen".[13] In seiner später veröffentlichten Meyer-Biographie misst Zäch dann der Ironie allerdings grössere Bedeutung zu, gilt sie ihm doch hier als ein Grundzug von Meyers Schaffen.[14] Immer noch ist auch bei Zäch die Difinition der Ironie eine primär negative; mit der Haltung der Ironie könne der Dichter sich verhüllen und sich wappnen: "Sie gibt ihm, dem Schwachen, die Möglichkeit, sich gegenüber dem beklemmenden Anblick des Starken überhaupt aufrecht zu erhalten. Sie verschafft ihm die Distanz von der rauhen Wirklichkeit der Dinge, die ihn sonst erdrücken würden."[15] Unverständlich und erstaunlich ist, dass Zäch trotz offensichtlichem Interesse an der Meyerschen Ironie sowohl Oberles Beitrag als auch die völlig Neues enthaltende Arbeit von Valentin Herzog gänzlich unerwähnt lässt. - Valentin Herzog weist nach, dass die Struktur des Jürg Jenatsch ganz und gar ironisch angelegt sei;[16] umso interessanter, da nach Allemann "Ironie als ein das literar. Werk wesentlich strukturierendes Prinzip nicht allzu häufig" vorkommt.[17] Herzog hat als erster ein bestimmtes Werk des Dichters vom Gesichtspunkt der Ironie her sorgfältig analysiert und ist auch im Stande, erstmals eine Fülle von überzeugenden Beispielen für strukturbestimmende Ironie zu bringen. Abschliessend betont Herzog meiner Meinung nach mit Recht Meyers fundamentale Skepsis gegenüber der Sprache, die mit ihrer Zweideutigkeit die Widersprüchlichkeit des Individuums sowie der Welt allgemein zum Ausdruck bringen soll.[18] Doch wie Paul Schimmelpfennig in seiner Rezension der Herzogschen Dissertation bemerkt, verkennt Herzog den ethisch konstruktiven Wert der Ironie, die nicht - wie dies bei Herzog geschieht - mit absolutem Relativismus und ethischer Unverbindlichkeit gleichgesetzt werden dürfe: "...Meyer's irony acquires a human value, an ethical component of its own in the sense of tolerance, open-mindedness, and flexibility of spirit."[19] - Auf das problematische Verhältnis zwischen Ironie, Relativismus und ethischer Unverbindlichkeit werde ich im letzten Teil dieser Arbeit eingehen, weil es erst im Anschluss an eine genauere Betrachtung der verschiedenen Erscheinungsformen der Ironie in Meyers Novellen erörtert werden kann.

Nur ganz selten hat Meyer sich selber direkt zur Ironie in seinem Werk geäussert. Am wichtigsten sind zwei Briefstellen, die zeigen, dass der Begriff der Ironie auch für Meyer keineswegs eindeutig ist.

An Louise von François schreibt er in einem seiner ersten Briefe:

> Ein Berufsschriftsteller bin ich nicht. Dazu fehlt mir der Ehrgeiz (ich weiche der Reputation eher aus als dass ich sie suche), die Routine und auch die Modelle - denn ich habe einen einsiedlerischen Hang. Am liebsten vertiefe ich mich in vergangene Zeiten, deren Irrthümer (und damit den dem Menschen inhaerirenden allgemeinen Irrthum) ich leise ironisiere und die mir erlauben, das Ewig-Menschliche künstlerischer zu behandeln, als die brutale Actualität zeitgenössischer Stoffe mir nicht gestatten würde.[20]

Meyer begründet hier, warum er die Vorzeit und den zeitlichen Abstand schätzt. Von den zeitgenössischen Stoffen hat Meyer nicht genügend Distanz; ihm fehlt die zur künstlerischen Gestaltung notwendige Objektivität.[21] Er wählt sich also deshalb den Stoff, der seiner Art der Perspektive und besonders dem leisen Ironisieren am ehesten entgegenkommt: jene "vergangene(n) Zeiten". Darin stimmt er mit Fr. Th. Vischer überein, der fand, ein Dichter solle sich zwar niemals der eigenen Zeit und ihren Gedanken verschliessen, "aber es fragt sich, ob diese Ideen reif sind zur poetischen Gestaltung,..., ob sie auf poetische Weise in sein Werk aufgenommen, ob er sie in ästhetischen Körper" verwandeln kann.[22] - Schwächen und Irrtümer der Vergangenheit werden mit Hilfe der ironischen Darstellung sichtbar gemacht: Der moderne Betrachter im Gegensatz zum Zeitgenossen entdeckt aus der Vogelperspektive sozusagen den Widerspruch zwischen dem, was eine Epoche in Wirklichkeit war und was sie zu sein glaubte; das Aufdecken dieser Widersprüchlichkeit ist es also zum Teil, was Meyer hier unter dem leisen Ironisieren versteht. - Er gibt ferner gleichzeitig auch zu, dass das Irren und Fehlgehen jeglicher Zeit anhaftet, dass die Irrtümer in der Geschichte der Menschheit alle auf einen gemeinsamen Grund zurückzuführen sind, auf "den dem Menschen inhaerirenden allgemeinen Irrthum" nämlich. Einzelne Beispiele solcher Geschichts-Ironisierung zeigen, wie der allgemeine Irrtum darauf beruht, dass der Mensch immer wieder dem fälschlichen Glauben verfällt, eindeutige und allgemeinverbindliche Antworten auf komplexe Fragen zu besitzen. Es ist dieser ursprüngliche Irrtum, der zu den in der Geschichte begangenen Irrtümern führt; so etwa zu einem Massaker, weil zwei Konfessionen sich über den richtigen Weg zur Seligkeit nicht zu einigen vermögen (Das Amulett); oder zur fragwürdigen Kanonisierung eines Menschen, dessen Persönlichkeit und Motivierung in Wirklichkeit zweideutiger waren, als die Kirche seiner Zeit sie sah (Der Heilige). Die Kunst der distanzierenden und objektivierenden Ironie erlaubt es Meyer, der historischen Vergangenheit eine der Wahrheit näher kommende Form zu verleihen; Meyer, der dichterisch Schaffende, findet Motive und Sinn eines geschichtlichen Geschehens, indem er die Eindeutigkeit eines historischen Sachverhaltes anzweifelt, eindimensionale und oberflächliche Deutungen verunsichert und ihnen Vieldeutigkeiten entgegenhält.[23] Hinzu gesellt sich ferner die Tatsache, dass Meyers historische Novellen verschiedentlich da einhaken, wo die Geschichte selber, in Zeiten des Übergangs zum Beispiel, Ambiguitäten und Ironien aufweist. Meyer arbeitet vorzugsweise mit solchen historischen Ironien, die a priori vorhanden sind und die, einmal in sein Werk aufgenommen, dieses auch entsprechend affizieren.

Eine weitere Briefstelle befasst sich nicht mit dem thematischen, sondern vielmehr mit dem technischen Aspekt der Ironie. Im Zusammenhang mit Die Hochzeit des Mönchs schreibt Meyer als Antwort auf einen nicht erhaltenen Brief der Schwester:

> Eine kleine Erwiderung: meine Fabel verlangte eine explosive Luft, und unter Ezzelin war sie wohl so in Padua. Die "Ironie" (Vorweisung des poetischen Werkzeuges etc.) soll allerdings mildern, ist aber zugleich ein untrüglicher Gradmesser der entfalteten Kraft, da sie (die Ironie) alles Schwächliche sofort umbringt. Dann schien mir, ein Dante müsse "erfinden", nicht erzählen.[24]

Wir sind in der seltenen und glücklichen Lage, dass Meyer den Begriff der Ironie in diesem Brief nicht nur verwendet, um damit eine bestimmte Absicht festzuhalten, sondern dass er ihre Funktion auch noch präziser umreisst. Er bezieht die Ironie hier prinzipiell auf die Schaffensweise und nicht auf die Thematik der Novelle. Abgesehen von Phantasie und Eingebung gehört zum Dichten auch eine ganz technische Seite, und wie technisch Meyer hier die Ironie verstanden haben möchte, geht aus dem Ausdruck "Werkzeug" - als künstlerisches Darstellungsmittel - hervor. Gerade im Hinblick auf ein Verständnis der Meyerschen Ironie scheint es wichtig, dass Meyer der Ironie in diesem Brief eine doppelte Wirkung zugeschrieben hat: sie ist konstruktiv _und_ destruktiv zugleich. Konstruktiv, indem sie die "explosive Luft" entlädt - das geschieht in der Novelle durch die Rahmenkonstruktion -, indem sie das Heftige dämpft; destruktiv, indem sie als Selbstkritik und Selbstprüfung "alles Schwächliche sofort umbringt". Die Ironie als Vorzeigung des poetischen Werkzeuges schafft Distanz zwischen dem Dichter und seinem Stoff. Er fabuliert nicht einfach. Indem Meyer durch das Einsetzen der Ironie bewusst und gewollt zeigt, wie's gemacht wird, rückt er die Fabel von sich und kann - wie sein Dante das ja auch in _Die Hochzeit des Mönchs_ exemplarisch vorführt - kritisierend und korrigierend eingreifen. Als Mittel der Objektivierung kann Ironie so "zum untrüglichen Gradmesser der entfalteten Kraft" werden. Durch die Ironie, wie Meyer sie hier verstanden haben möchte, bleibt das Erzählen immer fliessend; es bleibt in der Hand des Dichters immer etwas Werdendes, mit den Mitteln der Ironie ständig angezweifelt und verunsichert.

Wie die beiden Briefstellen zeigen, versteht Meyer offenkundig unter dem Begriff der Ironie zwei verschiedenartige Erscheinungsformen. Das leise Ironisieren bedeutet ein Verschieben historischer Sachverhalte, ein Infragestellen historischer Gegebenheiten - um der Suche nach der Wahrheit willen. In diesem Sinne betrifft Meyers Ironie vornehmlich, wenn nicht ausschliesslich, Stoffliches und Thematisches. - Meyer versteht Ironie jedoch auch als formal-technisches Mittel: als "Gradmesser" ist sie Bestandteil des poetischen Werkzeuges. Zweierlei haben diese beiden Erscheinungsformen allerdings gemein: Dass es Meyer beim leisen Ironisieren um die Wahrheit geht, ist schon festgestellt worden; aber auch in der zweiten Briefstelle ist Ironie, als "_untrüglicher_ Gradmesser", Mittel zur Wahrheitsfindung. Ferner: Im Unterschied zu dem Bedürfnis nach zeitlicher Distanz, wie sie sich im Brief an Louise von François bekundet, sollte man sich im zweiten Brief vielmehr eine durch Ironie gewonnene psychologische Distanz vorstellen. Auf alle Fälle - hier wie da - ist für Meyer Ironie eng gekoppelt mit der Vorstellung von selbstgesetzter Distanz, die übrigens in doppelter Weise wesentlich ist: Abstand ist nötig, um ironisch sehen zu können, und zugleich schafft die ironische Schreibweise auch wieder Abstand vom Stoff.

WERKANALYSEN

I. POLARE THEMENSTELLUNG

Eine betonte Tendenz zur Polarisation kennzeichnet Meyers Denken und Gestalten. Sie äussert sich beispielsweise schon in seinen Novellentiteln, in denen ja immer wieder heterogene Begriffe unter ein und dasselbe Joch gespannt werden; oder in seinem Interesse für Übergangs- und Krisenzeiten, wo kontrastierende Werte besonders klar hervortreten und aneinanderstossen.

Unter dem Gesichtspunkt der polaren Themenstellung liesse sich jede Novelle Meyers behandeln. Die vorliegenden Beobachtungen sind auf Das Amulett und Die Versuchung des Pescara beschränkt, und zwar aus zwei Gründen: besonders deutlich sind in diesen beiden Werken die Geschehnisse in einer Zeit des konfessionellen und politischen Umbruchs angelegt; es handelt sich ferner um ein frühes und spätes Werk, eine Auswahl, an der sich nicht nur die Kontinuität der für Meyer spezifischen Themenstellung erproben lässt, sondern die in den Schlussfolgerungen auch zur Frage führen wird, ob sich Meyers Technik der polaren Themenstellung über die Jahre hin weiterentwickelt und verfeinert hat.

Das Prinzip der Polarität ist im Ironiebegriff enthalten; man erinnere sich bloss an Goethes oxymoronische Umschreibung der direkten Ironie als eines rednerischen Mittels, welches das Tadelnswürdige lobt und das Lobenswürdige tadelt. Auch die "Ironie der Denkweise" (Beda Allemann) ist zutiefst vom Prinzip der Polarität geprägt. Bei Sokrates zum Beispiel ist Ironie vornehmlich auf ein Vermitteln zwischen Sein und Schein, zwischen Wissen und Nicht-Wissen angelegt; und von der Frühromantik an wird sie dann viel allgemeiner zum "Spiel zwischen zwei ausgeprägten Gegensätzen" überhaupt. Dieses Polaritätsprinzip tritt etwa in der folgenden Formulierung Friedrich Schlegels deutlich zu Tage:

> Sie (die Ironie) enthält und erregt ein Gefühl von dem unauflöslichen Widerstreit des Unbedingten und des Bedingten, der Unmöglichkeit und Notwendigkeit einer vollständigen Mitteilung... In ihr soll alles Scherz und alles Ernst sein, alles treuherzig offen und alles tief versteckt.[1]

Im Zusammenhang mit einer näheren Untersuchung des Polaritätsprinzips der Ironie in Meyers Werk muss man feststellen, dass die romantische Ironie solche Heterogenitäten, wie die von Schlegel aufgeführten, nicht im Kompromiss auszugleichen versucht. Wie Ingrid Strohschneider-Kohrs ausführt, ist es vielmehr so, dass "auf die Frage, wohin die dialektische Bewegung der Ironie gehe, zu welchem Zielpunkt und Zustand, zu welchem Inhalt hin sie 'aufhebe' und führe, ...nur der Hinweis auf ein unvollendbares Werden, auf eine sich immer erneuernde Bewegung" antworte.[2] - In dieser Hinsicht unterscheidet sich Meyers Ironie wesentlich von der romantischen Ironie-Konzeption. Der "Widerstreit", von dem auch die beiden zur Untersuchung vorgesehenen Novellen - Das Amulett und Die Versuchung des Pescara - thematisch bedingt sind, ist im Gegensatz zu Schlegel bei Meyer nicht "unauflöslich". Das spezifisch Ironische der polaren Themenstellung beruht bei ihm auf dem unentwegten Bemühen um Vermittlung und Ausgleich zwischen Gegensätzlichem, ein Prozess, der innerhalb der Einheit einer gegebenen Novelle zu einem zumindest temporären Gleichgewicht, zu einem Ruhepunkt führt, deren metaphorischer Ausdruck die bei Meyer immer wieder auftretenden Motive der Waage und der Schaukel sind.

1. Protestantismus und Katholizismus: Das Amulett

Conrad Ferdinand Meyer hat sich bisweilen recht intensiv mit interkonfessionellen Fragen auseinandergesetzt. Wo Meyer Religiöses berührt, sei es in seinem dichterischen Werk, sei es in der Korrespondenz, geht es ihm aber nicht primär um Metaphysisches sondern um Innerweltliches. Zwischenmenschliches und individuell Psychologisches. Er interessiert sich weniger für das kirchliche Dogma und mehr für die sittlichen Auswirkungen einer Religion auf das menschliche Verhalten. Wenn immer der Dichter konfessioneller Borniertheit oder auf religiösem Vorurteil gründender Engherzigkeit begegnet, wenn immer er auf religiösen Fanatismus und allzu dogmatische, ideologisch beeinflusste Auslegung der Bibel stösst, setzt auch seine Kritik ein. Solche Kritik greift häufig zu ironischen Methoden.

In Meyers frühster Novelle, Das Amulett, wird diese Kritik durch Erörterung konfessioneller Streitfragen und durch die Gegenüberstellung protestantischer und katholischer Glaubensvertreter besonders deutlich. - Im Folgenden sollen (a) kurz zwei Kernaussagen der Novelle untersucht werden, welche ganz betont auf die polare Themenstellung im Amulett hinweisen. Anschliessend möchte ich (b) dem polar angelegten Thema auf verschiedenen Handlungsebenen der Novelle nachgehen; es gilt zu zeigen, dass die beiden Pole Protestantismus und Katholizismus weiter in einzelne "Kontrapositionen"[1] aufgefächert werden und dass die (auf ständige thematische Polarisation ausgerichtete) Erzählmethode im Amulett auf einer ironischen Grundabsicht Meyers fundiert.

Zwei Kernaussagen

Kaum in Paris angelangt erhält Hans Schadau von der Stadt "den Eindruck des Schwankenden, Ungleichartigen, der sich widersprechenden und mit einander ringenden Elemente" (XI, 42).[2] Nur vage nimmt der junge Calvinist zu dem Zeitpunkt wahr, welches die Ursachen der von ihm beobachteten Spannungen sind, und auch später gelingt es ihm nie, bewusst das Problem zum Ausdruck zu bringen.[3] Der Leser jedoch weiss, dass Schadau richtig beobachtet; im Gegensatz zu ihm kennt er auch den Grund: Schadaus Eindrücke sind auf die intensiven religiösen und politischen Spannungen zwischen

Protestanten und Katholiken in Paris zurückzuführen, die kurz darauf ins Massaker der Bartholomäusnacht ausarten werden. Interessant ist besonders die Art der Formulierung, die C. F. Meyer Schadau in den Mund gelegt hat. Meyer lässt ihn mit der Erwähnung eines ganz unbestimmten Unbehagens beginnen: Schadau gewahrt etwas Unstetes, "Schwankende(s)"; hernach dringt er einen Schritt weiter vor: es gibt Zweierlei, und die beiden Teile gleichen sich nicht ("Eindruck des...Ungleichartigen"); schliesslich findet Schadau das richtige Wort, womit der Leser auch auf die polarisierte Themenstellung der Novelle gelenkt wird. Es handelt sich bei diesem "Ungleichartigen" nämlich um Gegen-Teile, um Elemente, die sich zunächst widersprechen: eine negativ definierte Beziehung zwischen zwei vorderhand unbestimmten Polen wird hergestellt, Gegensätze, die dann auch miteinander ringen: sie treten also buchstäblich miteinander in feindliche Berührung. Die Worte der Karyatide in der Bartholomäusnacht bilden die weltanschauliche Kernaussage der Novelle:

> ...sie morden sich, weil sie nicht einig sind über den richtigen Weg zur Seligkeit. (XI, 63)

Man wird sich sogleich der Parallele zu Schadaus Beobachtung über Paris bewusst: Was dieser dunkel und ohne Kausalbezug ahnte, ist jetzt Wirklichkeit geworden. Weil die Menschen sich nicht einig sind ("sich widersprechende Elemente"), morden sie sich ("mit einander ringende Elemente"). Hinter den Worten der Karyatide verbirgt sich Meyers ganz persönliches Anliegen, hatte er doch an Frau von Doss geschrieben:

> ...es war mir ein Bedürfnis, meinen persönlichen Abscheu und Ekel, auch mit Durchbrechung der Harmonie, in diesem im XVI. Jahrh. überhaupt unmöglichen Traum auszusprechen.[4]

Meyer hat in diesem Traum die polare Themenstellung der Novelle auf die Bartholomäusnacht zugespitzt. Im weiteren Rahmen geht es ihm aber darum zu zeigen, dass es, vom Religiösen abgesehen, generell Divergenzen zwischen den Menschen gibt, die sie voneinander trennen, und dass der dem Menschen "inhärirende allgemeine Irrthum" auf dem Glauben beruht, es gebe nur einen richtigen Weg zur Seligkeit, den alle zu beschreiten hätten. Dieser Irrtum, den schon Lessing in seiner Ringparabel blossgestellt hatte,[5] wird von Meyer im Amulett ironisiert.

Die verschiedenen Handlungsebenen

Das Amulett ist ein seltsam heterogenes Gebilde. Ganz zentral sind die in der Novelle behandelten religiösen Streitgespräche und die konfessionellen Unruhen, die schliesslich in der Bartholomäusnacht zu gewaltsamem Ausbruch gelangen. Mithinein verwoben ist die wachsende Freundschaft zwischen einem Katholiken und einem Calvinisten. Daneben ist die Novelle eine geraffte, auf wenigen Episoden aufgebaute Bildungsgeschichte, deren innere Gesetzlichkeit den jugendlichen Helden und - Toren zum ausgeglichenen Menschen heranwachsen lässt. Hans Schadau zieht von zu Hause fort, um - wie sein Namensbruder im Märchen - das Glück zu suchen; und als er schliesslich wieder nach Hause gelangt, hat er zwar sein Glück gefunden, dieses ist aber anderer Art und wurde unter anderen Umständen gewonnen, als er es sich ursprünglich vorgenommen hatte. Letztlich ist Das Amulett auch eine "cloak and dagger" Geschichte, ein historischer Abenteuerroman in Miniatur, versehen mit all jenen Requisiten, die notwendig sind, um allenfalls eine Klasse von Quintanern für ihre Nationalliteratur zu begeistern.[6]

So durchspielt denn Meyer die gesamte Skala vom Erhabenen bis hinab zum Trivialen, und die Frage drängt sich auf, ob der heterogene Charakter der Novelle einzig auf der Tatsache beruht, dass es sich um ein Frühwerk handelt und Meyers Kunst der Novelle noch nicht voll entfaltet ist;[7] oder ob nicht vielmehr diese Schichtung ganz bewusst und gewollt angestrebt wurde, mit der Absicht nämlich, eine jede dieser Ebenen durch ihr Zusammenspiel mit den anderen, durch die wechselseitige Beleuchtung zu ironisieren.

In diesem Hauptabschnitt zum Amulett möchte ich vorerst das Ironische der polaren Themenstellung an den theoretischen Erörterungen konfessioneller Streitfragen und an deren praktischen Auswirkungen untersuchen. Darauf wird kurz die Auffächerung der einzelnen Pole in weitere Gegenpositionen dargestellt; endlich möchte ich die ironische Tendenz der polaren Themenstellung an Schadaus Abenteuer- und Bildungsgeschichte verdeutlichen.

Dem Historismus des 19. Jahrhunderts vorgreifend deutet der Michel de Montaigne der Novelle zur Entrüstung Schadaus an, dass Religionen im Grunde genommen Sitten seien (XI, 54). Damit säkularisiert und relativiert Montaigne die Religion. Es ist sicherlich kein Zufall, dass Meyer ausgerechnet diesen Denker, dessen berühmtes Motto "que scai-je?" lautete,[8] in die Novelle aufgenommen hat; "que scai-je?" im Sinne von: Was weiss der einzelne Mensch schon in Anbetracht menschlicher Beschränktheit schlechthin? Was wissen letzten Endes wir alle? Sehr wenig. Eine sokratische Einsicht, die uns den Weg zur Wahrheit weisen soll. Unter diesem Aspekt erübrigte sich eigentlich die Frage, ob der

Katholizismus oder der Calvinismus "der richtige Weg zur Seligkeit" sei. Die blosse Tatsache, dass sie dennoch in allem Ernst erörtert wird und Gemüter sich darob erhitzen, stellt die ganze Diskussion a priori schon in ein ironisches Licht, d.h. hier wird "der dem Menschen inhärirende allgemeine Irrthum" ironisiert. Durch die gegenseitige Religionskritik von Boccard und Schadau werden die Konfessionen dann noch ein weiteres Mal, im Rahmen der Diskussion, von den Debattierenden selbst durch ihre Konfrontation ironisch angeleuchtet. Um die deduktiven dogmatischen Behauptungen über die Prädestination zu widerlegen, beweist Boccard mit der induktiven Methode die Absurdität eben dieser Lehre (XI, 21ff.).[9] Er stellt Schadau die Frage, warum denn Gott die zehn Gebote gegeben habe, wenn es dem Menschen vorherbestimmt sei, das Böse oder das Gute zu tun:

> Also Gott befiehlt diesem Calvinisten: Tue das! Unterlasse jenes! Ist solches Gebot nun nicht eitel böses Blendwerk, wenn der Mann zum voraus bestimmt ist, das Gute nicht tun zu können und das Böse tun zu müssen? Und einen solchen Unsinn mutet Ihr der höchsten Weisheit zu? (XI, 22)

Die zehn Gebote sind nur dann sinnvoll, wenn der Mensch tatsächlich einen freien Willen hat. Schadau, für den jedes Wort der Bibel durchaus bindend ist, sitzt in der Falle. Ein religiöser Relativist hätte sich allenfalls mit einer kulturellen Erklärung der zehn Gebote aus der Schlinge gezogen, nicht aber Schadau. Diesem kommt denn auch nichts Gescheiteres in den Sinn, als "mit einem Anfluge unmutiger Beschämung" ausweichend zu erwidern: "Das ist ein dunkler, schwerer Satz, der sich nicht leichthin erörtern lässt." An dieser Stelle wird nicht so sehr der Prädestinationsglaube, dem Meyer durchaus ambivalent gegenüberstand,[10] als vielmehr der Calvinist Schadau ironisiert, "der jugendliche Doktrinär der Prädestination," wie Werner Kohlschmidt ihn einmal genannt hat.[11] Schadau geht in seiner Unsicherheit - psychologisch ganz einleuchtend - selber sogleich zum Angriff über. Schadaus Kritik am "albernen Mariendienst" lässt Boccard plötzlich aufflammen, verdankt er doch sein Leben und seine Gesundheit der guten Dame von Einsiedeln. Sobald er aber merkt, dass die Kritik sich gegen den Mariendienst im allgemeinen gerichtet hatte und Schadau gerne bereit ist, in Zukunft eine Ausnahme mit der guten Frau von Einsiedeln zu machen, beruhigt er sich. - Die Wundertätigkeit der Muttergottes wird dadurch relativiert - und ironisiert; die Gegner einigen sich auf einen Kompromiss: der Marienkult sei im Grunde genommen fragwürdig bis auf die eine Ausnahme. Was Meyer nicht direkt, aber doch implizit sagt: Ein anderer könnte ja kommen und dieser einen guten Frau von Einsiedeln die Kraft zu Gunsten seiner eigenen lokalen Maria absprechen - und was dann?[12]

Mit der Ironisierung der Konfessionen im Religionsgespräch lässt Meyer es noch nicht genug sein. Hier handelt es sich ja bloss um Theorien. Wie aber bewähren sich die konfessionellen Überzeugungen im Leben selbst? - Am Abend vor dem Duell mit dem Grafen Guiche fleht Boccard seinen Freund an: "Wende dich an Unsre liebe Frau von Einsiedeln und wirf mir nicht ein, du seist Protestant, - einmal ist keinmal!" (XI, 44). Die Ironie ist zweifacher Art: Erstens deutet Boccard mit seinen Worten an, dass Schadau als Protestant sich nichts vergeben würde, wenn er einmal zur Maria betet; er scheint sich nicht einmal die Frage zu stellen, ob denn Schadau, dessen Stosseufzer niemals aus reinem, d.h. überzeugt katholischem Herzen kommen könnte, dabei trotzdem auf göttliche Hilfe und Erlösung hoffen dürfte. Boccards liebe Dame von Einsiedeln ist sehr tolerant, denn sie nimmt es mit der konfessionellen Zugehörigkeit offensichtlich weniger genau als die Menschen. Mit dieser Marienauffassung bekundet Boccard letztlich sein eigenes liberales Denken, denn er findet selber, dass auch Protestanten von seiner Maria gerettet werden dürfen. Zweitens ist es ironisch, dass ein glaubenstreuer Calvinist gerettet wird, aber nicht durch die Vorsehung, auf die <u>er</u> sich verlässt, sondern durch die Wunderkraft der Mutter Gottes, von der <u>Boccard</u>, sein katholischer Freund, überzeugt ist. Das Amulett, welches Boccard dem calvinistischen Freund in die Brusttasche geschoben hatte, fängt den tödlichen Degenstoss des Grafen ab. - Ebenfalls in einem zweideutigen Licht steht die Rettung Gaspardes, die zwar nicht unmittelbar einem "Marienwunder", aber doch der Tatsache zuzuschreiben ist, dass Schadaus Rettung, gemäss Per Øhrgaard, seine "ganz abstrakte Auffassung von der Religion und seine Geringschätzung der persönlichen Erlebnisse" korrigiert hatte. "...es ist kaum als blosse Taktik zu werten, dass er Boccard 'im Namen der Muttergottes von Einsiedeln!' (XI, 64) anfleht, doch Gasparde zu Hilfe kommen zu dürfen".[13] Was die Menschen also letzten Endes rettet, ist nicht passives Sich-Verlassen auf die Vorsehung, sondern Liebe und persönlicher Einsatz; auch nicht der Dienst an Heiligen, sondern der Dienst am Nächsten. - Tief ironisch mutet Boccards Schicksal an, der mit dem schützenden Amulett um den Hals tödlich in die Schläfe getroffen wird, zu alledem noch mit einer Kugel aus Schadaus Pistole! Bezeichnenderweise hat Meyer den Ausdruck "Amulett" auf den Titel beschränkt, wo es Aberglauben und geheimnisvolle Zauberkraft suggeriert. In der Novelle hingegen nennt Meyer den Gegenstand lediglich "Medaillon" oder "Münze". Es hilft ironischerweise dem skeptischen Protestanten, weil dieser es zur rechten Zeit am rechten Ort trägt, nicht aber dem von seiner Wunderkraft überzeugten Katholiken, der es zwar zur rechten Stunde, bloss nicht am rechten Ort trägt. Wie sehr geglaubte Wunder und erfahrene Wirklichkeit auseinanderklaffen, kommt noch einmal deutlich zum Ausdruck, wenn Schadau im Schliessfach des alten Boccard das Medaillon und den zerschossenen Hut seines Jugendfreundes, als memento gewissermassen, beieinanderliegen sieht. In dieser geradzu oxymoronischen Koppelung von Amulett und zerschossenem Hut sowie in der anfänglich sorgfältigen Trennung der Ausdrücke "Amulett" und "Münze", deren Bedeutungsgehalt jedoch später durch die Ereignisse in der Novelle verunsichert werden, bekundet sich auch auf formaler Ebene das Ironische in Meyers polarisierendem Kompositionsprinzip.

Der calvinistische Prädestinationsglaube wird nicht weniger als der katholische Mariendienst und Wunderglaube in seinen realen Konsequenzen ironisiert. Der strenge Calvinist ist, wie oben schon erwähnt wurde, durch das Eingreifen des wundergläubigen Katholiken gerettet worden; in seiner tiefsten Verzweiflung vergisst er die calvinistisch-göttliche Planung und fleht zur Muttergottes von Einsiedeln. Eine unwahrscheinlich anmutende Kausalkette führt zu Schadaus schicksalhafter Bekanntschaft mit Boccard, Châtillon und Gasparde. Und letztlich lässt ein geradezu groteskes Ineinandergreifen von Zufällen Schadau im kritischen Moment den unheimlichen Böhmen wiederfinden.[14] Hier beabsichtigt Meyer offenkundig, die Prädestinationslehre in Frage zu stellen, ohne allerdings ihren Wert für den einzelnen Gläubigen in einzelnen Fällen gänzlich zu widerlegen. Denn Meyer prangert lediglich doktrinäre Glaubensstarre an, respektiert aber den lebendigen Glauben des Individuums durchaus.

Man kann zunächst folgendes Fazit ziehen: Meyer ironisiert beide Konfessionen durch die Vertauschung oder Überkreuzung der Konsequenzen, die katholische Glaubenszugehörigkeit einerseits und protestantische andererseits für den orthodox Gläubigen mit sich bringen: ausgerechnet der eifrige Calvinist wird durch ein Amulett gerettet, und der Katholik erfährt am eigenen Leib, was "Schicksal, Vorsehung und Prädestination heisst".[15] - Dieses Überkreuzungsprinzip hat jedoch nur bedingt Geltung, denn Meyer lässt die Dinge am Ende doch offen: Boccards Tod wird nicht durch Prädestination im calvinistischen Sinne bestimmt; er stirbt ja im

Dienste seiner lieben Frau von Einsiedeln, und sein Leben für sie einzusetzen, war schon immer seine frei gewählte, selbstauferlegte Aufgabe gewesen. Und Schadau, der es sich "vorbestimmt" wünschte, wie Dandelot auf der Brautfahrt am herzoglichen Schloss vorbeizureiten, kehrt mit seiner Frau, der Tochter Dandelots, in das Schlösschen am Bielersee zurück, freilich ohne Trompetenschall, aber doch jenem Schicksal recht ähnlich, das er sich ursprünglich ersehnt hatte. - Meyer ironisiert die beiden Konfessionen in erster Linie in ihrem jeweiligen Anspruch, allein seligmachend zu sein, und in der Vorbehaltlosigkeit, mit der ihre dogmatischen Vertreter festlegen, welche Mächte - freier Wille, Marienwunder, Prädestination - schliesslich das menschliche Schicksal lenken. Wie sehr gerade Meyer persönlich in diesen Fragen von Vorbehalten buchstäblich gemartert wurde, zeigt ein Brief an seine Schwester bis in einzelne Formulierungen hinein:

> Man muss glauben, unser Charakter gestalte unser Schicksal, oder richtiger: unser Schicksal sei auf unseren Charakter berechnet. Weisheit wäre dann: ein freiwilliges Eingehen und womöglich, ein selbständiges Ergreifen unseres notwendigen Loses und ein Ruhenlassen streitiger Punkte, bis wir wissen, ob oder ob nicht sie in der Linie unseres Lebens liegen. Solange die Vorsehung zerstört, was wir wollen, sind wir offenbar irrgegangen oder voreilig, wenn etwa sie nicht unseren Irrweg nur zur Blüte gelangen lassen und dann erst jäh abschneiden will. Wie kurz oder lang? Wer weiss es, und es wäre doch wesentlich, es zu wissen...[16]

Die Sprache legt Zeugnis ab für Meyers Ringen, der Schicksalsfrage auf den Grund zu kommen. Der Konjunktiv lässt jede Aussage tastend, ironisch unbestimmt. Denselben Effekt erzielen die Konjunktionen und Adverbien: mit dem "oder" zum Beispiel werden Alternativen ins Auge gefasst, eine Möglichkeit sorgfältig gegen eine andere abgewogen; die negativen Bedingungssätze (wenn nicht ...etwa) berichtigen eine vorangegangene Beobachtung oder nehmen sie gar zurück. Hier findet also Meyers Einsicht in die Bedingtheit unseres Wissens ihren stilistisch adäquaten Ausdruck.

Am Beispiel der konfessionellen Streitfragen und ihrer konkreten Auswirkungen auf menschliches Schicksal hat Meyer gezeigt, dass die ursprünglich scharf getrennten, feindlichen Positionen nicht zu halten sind; dass man metaphysischer Wahrheit nicht durch Doktrin näher kommt. Was wirklich gilt, ist eine die Konfessionen überbrückende Nächstenliebe, wie Boccard sie exemplifiziert. Hierzu gesellt sich dann auch noch die Einsicht, dass - wie der von Meyer verehrte Kritiker F. Th. Vischer einmal sagte - "die Wahrheit auf verschiedenen Wegen gesucht werden kann".[17]

C. F. Meyer beschränkte die thematische Gewichtsverteilung im Amulett nicht auf eine vereinfachende Sonderung in Protestanten und Katholiken. Die Darstellung des Gegensätzlichen greift bedeutend tiefer in die Struktur der Novelle ein. Die beiden Konfessionen sind nämlich intern in tolerante und intolerante Vertreter untergeteilt. Auch auf Das Amulett, welches Meyer während seiner langen Arbeit an Jürg Jenatsch verfasste, treffen seine Worte über Jenatsch an Haessel zu:

> Alle Typen der damaligen Zeit müssen vertreten sein, schon der historischen Gerechtigkeit wegen. So z.B. der protestantische Fanatiker neben dem katholischen.[18]

Im Amulett geht es Meyer abgesehen von der "historischen Gerechtigkeit" sicherlich auch darum zu zeigen, dass Konfession und Neigung nicht identisch sind. Der alte Boccard und Montaigne sind Katholiken; Châtillon und der Dorfpfarrer sind Protestanten. Doch der alte Boccard und der Pfarrer, obzwar konfessionell geschieden, sind beide voreingenommen und intolerant; andererseits hat Montaigne das Wesentliche seiner Haltung mit dem Parlamentsrat gemeinsam: die Humanität und die Toleranz. Weitere Namen liessen sich anführen; das Prinzip jedoch bleibt dasselbe: "die Ausgewogenheit des Gegensätzlichen".[19]

Der Parlamentsrat Châtillon fühlt sich von einem "grausamen Hanswurst" (XI, 34) wie dem Jesuitenpater Panigarola angewidert. Er bewundert an den Schweizern die religiöse Koexistenz und beneidet sie darum (XI, 21).[20] Châtillon macht sich später den viel zu strengen Vorwurf, "feig" und "selbstsüchtig" gewesen zu sein (XI, 56) und nicht genug zu seinen Glaubensgenossen gestanden zu haben. Wir sollten ihn nicht wörtlich nehmen; aber seine Toleranz, seine Distanz und Besonnenheit, die Fähigkeit, auch die andere Seite im Auge zu behalten - man denke nur an seinen vollkommenen Takt, an seine ausgewogene Diplomatie im Religionsgespräch auf der Reise nach Paris -, das alles hat ihn nicht so vorbehaltlos Farbe bekennen lassen, wie etwa Schadau auf der einen oder Panigarola auf der anderen Seite. Im kritischen Moment gibt er zu, dass der Zeitpunkt kommt, wo man auf einem festen Standpunkt beharren muss: er will den Tod an der Seite seiner Glaubensgenossen erleiden und schlägt deshalb Montaignes Einladung in den Süden Frankreichs aus. In seiner vollkommenen Integrität bietet Châtillon ein überzeugendes und eindrucksvolles Beispiel dafür, dass Religionstreue und Duldung Hand in Hand gehen können. -- Vom religiösen Relativismus seines Freundes Montaigne war früher schon die Rede (S. 19); Meyer führt ihn aber auch noch aus einem anderen Grund in die Novelle ein: er steht zwar auf der katholischen Seite, versucht aber trotzdem mit allen Mitteln den Parlamentsrat zur Flucht aus Paris zu bewegen; ihm geht es um das Leben eines Freundes, wobei eben konfessionelle Unterschiede keine Rolle spielen dürfen. So betont Georges Brunet:

> puisqu'un catholique comme Montaigne, en qui l'appartenance à une confession n'a pas fait disparaître un vieux fond d'humanisme, peut s'entendre avec des protestants comme Châtillon ou Coligny, cela suppose qu'il existe un fond humain, antérieur au schisme, que le schisme ne parviendra jamais à faire disparaître complètement et sur lequel il serait tout de même possible de se mettre d'accord.[21]

Humanität und Toleranz vermögen die konfessionellen Unterschiede zwischen zwei Menschen zu überbrücken.

Meyer verfolgt die polare Themenstellung noch einen Schritt weiter, indem er sie in einzelne Gestalten hineinverlegt. Er lässt zum Beispiel einen jungen Bieler Protestanten die politischen Konsequenzen der Reformation von der katholischen Seite aus darstellen. Teils äussert sich Godillard mit so bewundernden Worten über den Herzog Alba, um Schadau zu reizen; teils erweist sich aber damit auch seine Fähigkeit, die andere Seite objektiv ins Auge zu fassen (XI, 16). -- Der katholische Fechtmeister, der Coligny ermordet, rettet immerhin zwei protestantische Menschenleben aus ganz persönlichen Gründen: er verhilft Schadau und Gasparde zur Flucht aus Paris. - Schliesslich lässt sich auch Boccards Vorgesetzter im Louvre als Beispiel herbeiziehen: Hauptmann Pfyffer, den Schadau nicht kennenlernen wollte, weil er als "fanatischer Katholik" bekannt war, hilft dessen Leben in der Bartholomäusnacht retten, damit "ein(en) Landsmann und Bürger von Bern von diesen verfluchten Franzosen" nicht abgeschlachtet wird (XI, 60). Pfyffer zeigt sich imstande, seine religiösen Vorurteile aus patriotischen Gründen zu überwinden, wenn sein Gewissen es ihm gebietet.[22]

Die Gegensätze, wie Schadau sie in Paris wahrnimmt, und wie sie die Personenkonfiguration der Novelle bestimmen, sind von Meyer auch in seine Hauptgestalt hineinverlegt worden. Nicht nur auf der grossen politischen Bühne sondern auch in Schadaus Seele besteht ein Spannungsverhältnis, wird ein Kampf ausgetragen zwischen zwei entgegengesetzten Elementen. Wenn man wie Meyer - der im Vorspruch sagt, er übersetze Aufzeichnungen aus dem Anfang des 17. Jahrhunderts "in die Sprache unserer Zeit" - von der distanzierten Warte des zeitlich Entrückten die Laufbahn des jungen Calvinisten verfolgt, dann erscheinen Schadaus Schwächen, Inkonsequenzen und Fehlurteile als die des jugendlichen Helden schlechthin, der die Heimat verlässt, um etwas zu lernen, und der - erzogen und gereift - wieder nach Hause zurückkehrt.

Schadau zieht als eifriger Calvinist und künftiger Kriegsmann aus, um unter Admiral Coligny für die Sache der Hugenotten zu kämpfen. Dass er dann aber gerade das Gegenteil tut, zeigen verschiedene Beispiele, wie etwa das Duell mit dem Grafen Guiche. Coligny vertritt die Ansicht, dass der Zweikampf eine Tat sei, "die kein Christ ohne zwingende Gründe auf sein Gewissen laden soll" (XI, 49). Für Schadau waren die Gründe gewiss zwingend: er wollte die Ehre seiner Glaubensgenossen und die Ehre des geliebten Mädchens verteidigen. Und doch wird "in diesen Tagen, wo ein ins Pulverfass springender Funke" sie alle verderben kann, wie der Admiral in vollem Verständnis der kritischen Gesamtlage erklärt, ausgerechnet Schadau durch das Duell "zum Verbrecher an (seinen) Glaubensgenossen". Das Duell an sich und sein Ausgang sind von tragischer Ironie, weil Schadau, im Glauben, das Gute zu tun, im Gegenteil die Feindseligkeiten zwischen Katholiken und Hugenotten in Paris weiter schüren hilft.[23]

Schadau träumt von soldatischem Heldentum und romantischen Liebesabenteuern. Er wird aber bezeichnenderweise nicht Soldat, sondern ausgerechnet der <u>Schreiber</u> des Admirals. Besonders ironisch klingt daher Gaspardes Absicht, dem Schneider von "diesem tapfern Kriegsmanne" zu berichten (XI, 31). Sein Kriegertum wird ja nie erprobt, denn er ist beide Male abwesend, als der Admiral überfallen wird; und in der Bartholomäusnacht, dem einzigen Mal, wo er vielleicht Gelegenheit gehabt hätte, für seinen Glauben zu kämpfen, sitzt er hinter Schloss und Riegel. Drei Monate nachdem Schadau von zu Hause aufgebrochen war, zieht er dann in das verödete Haus seiner Jugend ein, um sich dort friedlich niederzulassen; statt Krieger ist er Bürger geworden.[24] Meyer will damit sicherlich nicht andeuten, dass Schadau ein Versager ist; selbst Admiral Coligny hatte den beiden jungen Leuten nahegelegt, auf Schweizerboden zurückzukehren, um dort ein ruhiges Leben zu führen; Meyer ironisiert lediglich ganz sachte die ursprüngliche Unternehmungslust Schadaus, vielleicht auch die des jungen Menschen überhaupt, und sucht dabei gleichzeitig zu zeigen, wie menschliches Planen von äusseren Umständen durchkreuzt und vereitelt werden kann. Das Leben Schadaus zusammenfassend, schreibt Karl Schmid: "Schadaus Reise nach Frankreich war eine Episode; nun lässt ihn Meyer dorthin zurückkehren, wo er hingehört:: ins Ordentlich-Behauste, Bürgerlich-Sichere, ins Schweizerische...", und er fügt dann bei, dass "das grosse Intermezzo...keine dauernde Spur" hinterlasse.[25] Von dieser letzten Bemerkung, auf die ich später zurückkommen werde, möchte ich mich schon hier ausdrücklich distanzieren. Zunächst müssen noch zwei Fragen erörtert werden: Wer waren die Lehrer des "Toren" Schadau? Und was hat der "Tor", der in die Welt gezogen ist, gelernt?

Hans Schadau berichtet, dass zwei Menschen in seiner Jugend entscheidend auf ihn einwirkten: der Oheim und der Dorfpfarrer. Schadaus gütiger Oheim, ein treuer Katholik und eifriger Leser der Offenbarung Johannis, lehnt den Protestantismus nicht so sehr aus dogmatischen als vielmehr aus pragmatischen Überlegungen ab, denn so kurz vor dem Weltuntergang findet er es doch zu riskant, eine neue Kirche zu gründen, geschweige denn sich ihr anzuschliessen (XI, 9).[26] Dem katholischen Oheim fehlt jeglicher militante Zug, er ist tolerant und lässt seinen Neffen - "in Selbstverleugnung" - in der Landesreligion erziehen. Dem Oheim wird der calvinistische Pfarrer - Dogmatiker mehr als Seelsorger - gegenübergestellt. Als strenger Vertreter seiner Kirche sieht er "mit seinem Meister Calvin die Ewigkeit der Höllenstrafen als das unentbehrliche Fundament der Gottesfurcht" an. Schadau sagt von den beiden Pflegern seiner Jugend, dass sie in mancher Hinsicht nicht zusammenpassten, und stellt fest:

> Meine Denkkraft übte sich mit Genuss an der herben Konsequenz der calvinischen Lehre und bemächtigte sich ihrer, ohne eine Masche des Netzes fallen zu lassen; aber mein Herz gehörte sonder Vorbehalt dem Oheim. (XI, 10)

Beim jungen Schadau gehen somit die Neigungen des Geistes und die des Herzens vorderhand auseinander; er fühlt sich in zwei Richtungen gezogen und steht schon von Haus aus nicht nur zwischen den beiden Konfessionen, sondern auch zwischen Toleranz und dogmatischer Strenge, ohne sich dessen jedoch voll und in allen Konsequenzen bewusst zu sein.

Im Folgenden - bis etwa zur Bartholomäusnacht - gewinnt man allerdings von Schadau den Eindruck, dass er in Religionsfragen intolerant ist und in Religionsgesprächen der sturen Doktrin verfällt. Was den Calvinismus und die Sache der Hugenotten allgemein angeht, ist Schadau vorerst ein Radikaler. Empört wegen Godillards Lob auf Herzog Alba provoziert er zum Beispiel auf einer Bieler Hochzeit eine blutige Schlägerei. Schadau bleibt auch weiterhin derart in seinem ideologisch gefärbten Denken befangen, dass er sich der Inkonsequenzen seiner Urteile gar nicht bewusst wird: Die Grausamkeit, mit der Herzog Alba wegen spanischer Staatsinteressen Flandern unterdrückt, empfindet Schadau natürlich als Verbrechen. Doch verbietet ihm seine religiöse Voreingenommenheit, entsprechend grausame Methoden im eigenen Lager zu verdammen; so findet er es denn ganz in Ordnung, dass Calvin - wie Alba in Flandern - auf Grund staatspolitischer Überlegungen seinen Freund Servedo an die Gerichte auslieferte, die ihn anschliessend zum Feuertod verurteilten. Er hätte ebenso gehandelt, meint Schadau mit Überzeugung und argumentiert:

> War es nun Calvin nicht den Tausenden und Tausenden schuldig, die für das reine Wort litten und bluteten, diesen falschen Bruder vor den Augen der Welt aus der evangelischen Kirche zu stossen und dem weltlichen Richter zu überliefern, damit keine Verwechslung zwischen uns und ihm möglich sei und wir nicht unschuldigerweise fremder Gottlosigkeit geziehen werden? (XI, 31)

"Wehmütig" lächelnd, mit deutlicher Ironie - für den Leser - meint der alte Parlamentsrat, Schadau hätte sein Urteil über Servetus "trefflich" begründet. Wir wissen von dem Religionsgespräch in der Herberge bei Melun, welch tiefen Kummer diese Verurteilung dem alten Rat immer noch bereitet. Sein wehmütiges Lächeln gilt wohl der traurigen Tatsache, dass man alles "trefflich" begründen kann, wenn man wie Schadau oder Panigarola zu den Vorbehaltlosen gehört. Immer noch ironisch gemeint ist dann Châtillons Bemerkung, dass Schadau seine "Freude" an Pater Panigarolas Hetzpredigt haben werde; der Pater sei "ein gewandter Logiker und ein feuriger Redner". Diese Ironie des Parlamentsrates, mit ihrer indirekten Kritik, entgeht Schadau vollkommen! Mit Recht schreibt zum Beispiel Per Øhrgaard, dass der junge Schadau nicht weniger fanatisch sei als der Pater.[27] Weil Schadaus Verteidigung Calvins sowie Panigarolas demagogische Predigt in ihrem Geist so eng zusammengehören, hat Meyer sie wohl auch in ein und dasselbe Kapitel eingebaut. Panigarolas Apologie der Hugenottenverfolgungen ist einfach die katholische Version von Schadaus Apologie der calvinistischen Ketzerverbrennungen.

Verfolgt man nun die vom Oheim beeinflusste Seite in Schadaus Wesen, so zeigt sich, dass das "Herz" lange unterdrückt bleibt und ihm im Verlaufe der Erzählung als Liebe und Toleranz vorerst nur in anderen Menschen mahnend entgegentritt, vor allem in Boccard, Châtillon und Montaigne. All diese Menschen ziehen beispielhaft an Schadau vorüber und wirken auf ihn ein. Von ihnen hat er erfahren, dass es Standpunkte geben kann, die sich von dem seinen unterscheiden, ohne deswegen verwerflich zu sein. Jetzt erst, nachdem er diesen vorbildlichen Menschen begegnet ist und von ihnen gelernt hat, ist er auch innerlich reif genug, den Traum mit der Karyatide zu träumen. Wie Parzival erfährt er, was _mâze_ ist;[28] und von diesen Menschen lernt Schadau das, was ihm ja eigentlich durch den Onkel von Anfang an mitgegeben war, auch wirklich zu leben. Ohne lange Ausführungen weist der Dichter deutlich auf die Stationen von Schadaus innerem Bildungsgang hin: in der Krise fleht er im Namen der Muttergottes um Hilfe und in dieser tiefen Not lässt er erstmals das Herz sprechen; nicht nur ignoriert er Jahre später bei seinem Handel mit dem alten Boccard dessen bornierte Bemerkung über die Rechtgläubigen, in "Selbstverleugnung" wie seinerzeit sein Oheim Renat; anstatt fanatisch aufzubrausen, wird ihm "weh ums _Herz_", und er findet noch tröstende Worte für den verbitterten und vereinsamten Alten (XI, 8). Aus der Reise nach Paris ist nicht lediglich eine Abenteuerfahrt sondern eine Bildungsreise geworden. Und so ist denn auch das "Intermezzo", entgegen der Behauptung von Karl Schmid, nicht belanglos, sondern von entscheidend charakterbildendem Wert.[29] Georges Brunet wird dem eigentlichen Sinn der Novelle ebenfalls nicht voll gerecht, wenn er meint, dass es Schadau am Schluss noch knapp gelinge, sein Leben und sein mediokres Glück zu retten.[30] Schadau zieht in seine Heimat als zweifacher Erbe ein: als Erbe des Grundbesitzes _und_ als Erbe des geistigen Vermächtnisses seines Onkels. Sein eben erlangtes Bürgertum, das "Bürgerlich-Sichere", von dem Karl Schmid sprach, ist keineswegs negativ zu werten; im übrigen erscheint mir auch die Behauptung, Meyer sei wie Nietzsche "durchtränkt" gewesen "vom Gefühle, der Bürger sei etwas, was überwunden werden müsse - durch Grösse",[31] grundsätzlich falsch. Schadaus Rückkehr ins Haus seiner Jugend ist im Gegenteil ein sinnvoller, ja sogar, wie ich abschliessend zeigen möchte, ein von Meyer ironisch gefasster Akt.

Wenn Schadau sich zum "Bürger" herangebildet hat, so bedeutet dies, dass er ein Gleichgewicht findet zwischen "Herz" und "Verstand", zwischen jenen beiden antithetischen Anlagen also, die am Anfang seiner Laufbahn beispielhaft vom Oheim und vom Dorfpfarrer vertreten, in ihm selber aber zunächst noch ungleichmässig verteilt waren. Schadaus Heimkehr bedeutet ferner, dass er aufgehört hat, intolerant und fanatisch zu sein. Wenn man mit Thomas Mann unter _Bildung_ das "anti-fanatische, anti-mittelalterliche, das Renaissance- und Humanisten-Ideal" versteht, das "mit der geistigen Heraufkunft des Bürgers eng verknüpft" ist,[32] dann trägt _Das Amulett_ besonders in dieser geistesgeschichtlichen Hinsicht Merkmale einer _Bildungs_geschichte: die lichten Gestalten des Humanen und des Humanisten (z.B. Montaigne) weisen Schadau den Weg über Intoleranz und Dogmatik hinweg zu Toleranz, Humanität und Skepsis. Toleranz, Humanität und Skepsis: das sind zugleich aber auch wichtigste Komponenten der Ironie im Denken C. F. Meyers, jener Haltung, also, die den "dem Menschen allgemein inhärirenden Irrthum" erkennt und zu berichtigen trachtet. - Freilich diesen Zusammenhang von Bildung und Ironie hat Meyer nur andeutungsweise und assoziativ in diese frühe Novelle eingebaut. Aber die Gestalt Schadaus und seine Bildung zu Bürgertum und Ironie, so skizzenhaft und unvollkommen sie auch im Einzelnen noch ausgeführt sein mögen, bedeuten meiner Auffassung nach Aufbruch zu den voller und grösser konzipierten echt ironischen Gestalten in Meyers späteren Werken.

Vom Ende her betrachtet erhält nun auch der heterogene Charakter des Amulett, auf den eingangs schon angespielt wurde, seine eigentliche Berechtigung. Die romantisierende Abenteuergeschichte und die bisweilen beinahe jungenhaft naiven Wunschträume und Vorstellungen Schadaus stellen den verstockten, doktrinären Ernst seiner jugendlichen religiösen Haltung in ironisches Licht. Umgekehrt aber ironisiert Meyer mit dem Einflechten echter Problematik den Typus der trivialen Abenteuergeschichte, die in ihrer schwungvollen Art frisch-fröhlich an den fundamentalen Fragen und Problemen vorbeitrabt.

Es ging mir darum zu zeigen, wie tief verankert das Prinzip der polaren Themenstellung bei Meyer ist, dass ein jeder dargestellte Gegensatz wiederum in viele einzelne Gegensätze zerfällt, und dass sich Meyers nuancierendes Einerseits-Andererseits mit aller Konsequenz durchsetzt. Helmut Koopmanns Definition der ironischen Kunst bei Thomas Mann trifft auch auf Meyers Amulett zu: sie ist

> ...eine Kunst des Ausgleichs zwischen den Gegensätzen... Das schliesst einseitige Parteinahmen ebenso aus wie die vorschnelle Identifikation mit einmal geäusserten Überzeugungen...[33]

Meyer, der einmal von sich selber sagte, er hätte in konfessionellen Fragen eine "tendenzlos historische...Auffassung"[34] vertreten, lässt im Amulett die ironische Beleuchtung gleichmässig auf beide Seiten fallen, auch auf die protestantische, zu der er sich in seinem persönlichen Leben immer bekannte. Wie der alte Parlamentsrat in der Novelle fühlt auch er sich angeekelt von religiösen Fanatikern, Menschen mit dem "Glauben an den Glauben". Ihre Härte, ihre unbedingte Rechthaberei sind ihm fremd, und das bringt Das Amulett klar zum Ausdruck. Antithetische Positionen verschiedener Art konfrontieren sich in seinem Werk: Protestanten und Katholiken, Extremisten jeder Konfession und Tolerante jeder Konfession; zwischen sie alle tritt vermittelnd die dichterische Ironie, wobei das positive Ergebnis, der zu erstrebende Kompromiss bei Meyer in der Humanität liegt, die aus jeder Konfession als kostbarste Essenz herausdestilliert werden muss.

2. Italien und Spanien: Die Versuchung des Pescara

Meyer hat die politischen Ereignisse in seiner Novelle Die Versuchung des Pescara der Geschichte getreu im Jahre 1525 angelegt. Das Italien der Renaissance, den Schauplatz der Geschehnisse schildert er als ethisch degeneriert und politisch tödlich geschwächt; es ist zudem bedroht von Spanien, das - erfüllt von religiöser Militanz - im Begriff ist, seinen Aufstieg zur Weltmacht anzutreten. In Deutschland hat die Reformation begonnen, der Bauernkrieg ist eben niedergeworfen worden, und die Glaubenskriege zeichnen sich bereits drohend am Horizont ab. Zeit und Raum entsprechen in der Novelle jenen Erscheinungen der Geschichte, die Meyer seit eh und je fasziniert hatten, d.h. dem Phänomen einer Übergangszeit, mit ihren sich widerstrebenden politischen Bewegungen und ihrem neuen gärenden Gedankengut. - Die Welt von 1525 ist von Grund auf zerrissen, geprägt vom Widerspruch überhaupt, der sich in der Novelle vielschichtig und in immer neuen Variationen des polaren Zentralthemas Tod und Leben[1] spiegelt; so zum Beispiel in der Gegenüberstellung von irdischer und ewiger Gerechtigkeit, von Treue und Verrat, von Renaissance und Reformation; in der Versuchung eines Unversuchbaren, im Gegensatz "zwischen geschichtlicher Bewegung eines ganzen Zeitalters und der ins Zeitlose hinüberreichenden geistigen Ruhe einer Einzelgestalt".[2]

Vor allem jedoch ist die Hauptgestalt der Novelle, Pescara, sich voll bewusst, dass der universelle Widerspruch, der Riss durch die Welt auch in ihm selber angelegt ist, dass er selber die Spannweite der Polaritäten umfasst:

> ...ich habe zwei Seelen in meiner Brust, eine italienische und eine spanische,... (XIII, 252f.)

Der Anklang an Fausts Klage "zwei Seelen wohnen, ach, in meiner Brust" ist nicht zu überhören, und Meyer ist sich dieser Parallele sicherlich bewusst gewesen. Gerade durch diese Faust-Assoziation[3] soll wohl deutlich gemacht werden, dass Pescaras Schicksal nicht den Ausnahmefall sondern das Los der Zerrissenheit des geistig distanzierten Menschen überhaupt darstellt: das Zerrissen-Sein ist Kern seiner Persönlichkeitsstruktur, und die Frage nach Pescaras nationaler Zugehörigkeit reicht also ins Innerste seines Wesens. Nur der Tod, so scheint Meyer in der Versuchung des Pescara zu sagen, kann den Menschen von seinem Zwiespalt erlösen und ihm Ruhe bringen. So sagt Pescara selber:

> Nun aber bin ich aus der Mitte gehoben, ein Erlöster, und glaube, dass mein Befreier es gut mit mir meint und mich sanft von hinnen führen wird. Wohin? In die Ruhe. (XIII, 253)

Und W. D. Williams bemerkt hierzu:

> Death will make him whole again, will restore the unity of his soul, which this life has prevented him from enjoying. He is a symbolic projection, not only of Meyer's own religious and moral emotions but of the situation of man...[4]

Gerade in dieser Erkenntnis Pescaras hat die Literaturkritik den Ursprung seiner weisen und ironischen Lebensdistanz gesehen. So schreibt zum Beispiel Benno von Wiese, dass Pescara "das Spiel der Mitmenschen durchschauen und sich ihm entziehen" kann, weil er eben der "Nähe des eigenen Todes gewiss" sei.[5] Pescaras Ironie, meint Werner Oberle, ist "der reine Ausdruck jener Überlegenheit, die schon die Grenze und das Ende sieht, wo sich die andern in komischem Eifer um den Anfang bemühen"; Pescaras Ironie äussert sich folgendermassen:

> Pescara spielt Katze und Maus mit den Menschen, aber nicht aus Bosheit: er lässt sie ihr eigenes Schicksal erfüllen. Er verstellt sich vor seiner Umgebung, vor seinem Diener sowohl wie vor seinem Freund Bourbon... Er spottet seinem Arzt gegenüber, der wie er seinen nahen Tod kennt, er finde die sechzig Jahre, die ihm ein Astrolog gegeben habe, wenig. Mit Morone, dem listenreichen, spielt er Theater, so dass diesen der fortgesetzt scherzende Ton des Feldherrn beleidigt. Als die Unterredung fertig ist, ruft er den Lauschern zu: "Herrschaften, hier wurde Theater gespielt. Das Stück dauerte lange. Habt Ihr nicht gegähnt in eurer Loge?" Indem er das sagt, spielt er immer noch weiter Theater, auf erweiterter Bühne, mit eben diesen Lauschern. Sogar dort ironisiert Pescara den schlauen Morone, wo er behauptet, doch an eine Gottheit zu glauben, denn er weiss, Morone muss ihn falsch verstehen: er selbst glaubt an den Tod.
>
> Pescara ist ironisch, weil er weiss, dass alle Wirklichkeit dieses Lebens bedingt ist, dass sie sich vor dem Tod als eine Scheinwelt enthüllt.[6]

Ich möchte diese Interpretation nicht widerlegen, aber vorläufig davon Abstand nehmen, um im Folgenden eine andere ironische Komponente in Pescara aufzuzeigen, die meines Erachtens direkt auf den Zwiespalt in seiner Seele zurückzuführen ist, und die bisher keine Beachtung gefunden hat. Wie die Kritik zeigt, wird Pescaras existenziell verankerter Widerspruch - "ich habe zwei Seelen in meiner Brust" - tatsächlich durch den Tod, <u>fataliter</u>, hinfällig. Doch drängt sich sogleich die Frage auf, warum Pescara bis zum äussersten Ende, bis zum letzten Atemzug handelt, wenn sich ihm die "Wirklichkeit dieses Lebens" vor der Notwendigkeit des Todes als "eine Scheinwelt" (Oberle) enthüllt. Die von der Notwendigkeit diktierte <u>Auflösung</u> des in seinem Innern angelegten Widerstreits koinzidiert meiner Meinung nach genau mit einer von Pescara nicht nur aktiv angestrebten sondern auch durchgeführten Überbrückung der sich widerstrebenden italienischen und spanischen Seelen in seiner Brust; sie koinzidiert auch mit einem von Pescara errungenen politischen Kompromiss.

Noch im Erscheinungsjahr der Novelle schreibt Meyer an seinen Verleger: "Das Thema ist wohl das schwerste (Willensfreiheit), das ich je behandelt habe..."[7] Später ist dann von Willensfreiheit nicht mehr die Rede, sondern Meyer betont im Gegenteil "die völlige Verbautheit der Zukunft des Pescara",[8] die Tatsache, dass Pescara keinen Seelenkampf durchficht.[9] In einem Brief an Louise von François bemerkt er:

> Seine tödl. Wunde bewahrt ihn (fataliter) vor Verrat. Hier ist alles Notwendigkeit; kein Dramastoff, da Freiheit und Wahl mangelt...[10]

Mit Recht ist also in der Fachliteratur darauf hingewiesen worden, dass Meyer offensichtlich die Novelle im Verlaufe des Erscheinungsjahres umkonzipierte,[11] obschon er, wie er selber bemerkte, ungern "auf die Wahlfreiheit" verzichtete.[12] In Pescaras eigenen Worten: "...keine Wahl ist an mich herangetreten, ich gehörte nicht mir, ich stand ausserhalb der Dinge" (XIII, 242).[13] Seiner Wunde wegen ist die Versuchung keine eigentliche Versuchung; und, wie wiederum aus Meyers Korrespondenz zu ersehen ist, hat der Dichter gerade auf die ironische Parallele grosses Gewicht gelegt, dass sich eine sterbende Nation um einen sterbenden Helden bewirbt.[14] - Und dennoch: die einfache Tatsache, dass Pescara nicht zum passiven Zuschauer der menschlichen Komödie wird, sondern in der Frist, die ihm noch gewährt ist, politische Entscheidungen von tief symbolischem und sittlichem Charakter trifft, setzt meines Erachtens Willensfreiheit voraus. Infolgedessen führt die polare Themenstellung Italien-Spanien, als Zwist der beiden Seelen in Pescara selber angelegt, zu der folgenden kontrastierenden Untergliederung:

1) Notwendigkeit: Pescara wird durch sein Schicksal der Wahl zwischen Italien und Spanien enthoben. Sein unheldisches Heldentum liegt in der Ergebung in sein Los. Darin hat die Kritik meistens den Ursprung seiner Ironie erkannt: Pescara, der vom Tod schon Heimgesuchte, ist der einzige, der den Weitblick für das Ganze besitzt und erkennt, wie die Lebenden blind drauflosspielen.

2) Willensfreiheit: Trotz des Auswegs, den ihm der Tod bietet, vermittelt Pescara konstruktiv zwischen den beiden Seelen und den beiden Parteien. In eben diesem von der Kritik unerkann-

ten Willen zur Vermittlung bekundet sich jene andere ironische Komponente, die oben schon angedeutet wurde (S. 33) und auf die ich im Folgenden ausführlicher eingehen werde.

Vorerst soll kurz zusammengestellt werden, welcher Inhalt und welche Werte Italien und Spanien den beiden Polen des internationalen Spannungsfeldes - Italien und Spanien - von Meyer zugeordnet worden sind (a), um dann die Gestalt des Pescara im Hinblick auf das widerspruchsvolle Gegeneinander in seiner eigenen Brust zu untersuchen (b); im Anschluss daran soll gezeigt werden, in welcher Weise es Pescara gelingt, zwischen den Gegensätzen in sich selber und in der Welt zu vermitteln (c); Ziel der vorliegendenden Beobachtungen zu Pescara ist letztlich das Herausstellen des spezifisch Ironischen dieses Vermittlungsprozesses (d).

Italien und Spanien

Das Bild, das Meyer von Italien und Spanien zeichnet, fällt durch seine Ausgewogenheit des Gegensätzlichen auf. Sowohl auf Italien als auch auf Spanien fällt ein negatives Licht, dem jedoch nur Teilgeltung zukommt; Meyer gesteht ihnen - obzwar sparsam aufgetragen - auch Positives zu.

Die phantastischen und fanatischen Ideologien beider Mächte werden als gewissenlos und selbstisch blossgestellt. Italien und das Jahrhundert glauben "nur an die Macht und an die einzige Pflicht der grossen Menschen, ihren vollen Wuchs zu erreichen mit den Mitteln und an den Aufgaben der Zeit" (XIII, 181). Es ist eine ehrgeizige Heldenkonzeption, die ohne Gewissen und Selbstaufopferung auskommt, denn Italien ist, wie Morone ganz gelassen feststellt, "erhaben über Treue und Gewissen" (XIII, 207). Stattdessen sind Lüge, Verrat und Meuchelmord - die Mittel der Zeit - an der Tagesordnung. Die öffentliche Meinung wird erkauft und ruchlos manipuliert; sie ist eine "heimtückische Mache", auf die kein Verlass ist: kann sie doch von heute auf morgen geändert werden. Italien ist zwar durchdrungen von einem Staatsgedanken, der aber von den Fürsten zu selbstsüchtigen Zwecken missbraucht wird, dessen Verwirklichung die Politiker den Würfeln des Zufalls überlassen und der sich schliesslich als Schimäre entpuppt. Italiens Rechtsgelehrte sind käuflich, allzeit bereit, den Meineid mit Bibelstellen zu belegen. Selbst der Vatikan, "das Gewissen der Welt", ist nicht nur in einem bedenklichen Ausmass verweltlicht, sondern auch hoffnungslos korrupt: die letzten

Päpste haben im Namen Christi üble Machtpolitik betrieben und damit die ethischen Grundsätze des Christentums erbärmlich verraten.

Im Gegensatz zu den politischen und sittlichen Misständen leuchtet in Italien "die strahlende Ampel des Geistes" (XIII, 253); die Menschen sind erfüllt vom Bewusstsein historischer Tradition; die Anspielungen in der Novelle auf Literatur, Malerei und Architektur dienen unter anderem auch dazu, den Leser an die Blütezeit der italienischen Renaissance und ihr hochentwikkeltes Kunstbewusstsein zu erinnern. - Selbst Morone, der "Kanzler-Proteus" ist von glühender Liebe zu seiner Heimat erfüllt und hat die leider unzeitgemässe aber nicht minder schöne Vision "eine(r) sich selbst regierende(n) und veredelnde(n) Menschheit" (XIII, 207). Italien, obschon sittenlos, bewundert immerhin die reine und treue Liebe zwischen Pescara und Victoria (XIII, 160). Vor allem jedoch ist Italien nebst aller Verworfenheit, in Pescaras Worten, "wenigstens menschlich" (XIII, 253).

Zwei Urteile in der Novelle bringen die von Meyer angestrebte Ambivalenz des Italien-Bildes auch sprachlich zum Ausdruck. Da ist Guicciardinis im Schwung der Rede wohl unbeabsichtigtes understatement, dass der Stoff (Italien) "zwar edel, aber spröde" (XIII, 169) sei; da ist vor allem Pescaras eigene scharfsinnige Beobachtung:

> Italien bietet sich mir flehend und bedingungslos, mit einem Schein von Wahrheit und Grösse, und zugleich zieht es mir mit vollendeter Tücke den Boden unter den Füssen weg, um mich zum Sprung über den Abgrund zu zwingen. (XIII, 230)

Das Bild Italiens in der Versuchung des Pescara ist eine ausgewogene Komposition von Gegensätzen: einerseits Dekadenz und Korruption - andererseits Geist und Menschlichkeit.

Meuchelmord und Verleumdung sind nicht etwa Italiens Prärogative; es gibt sie auch in Spanien (XIII, 153, 232). - Leyva, Don Juan und Moncada sind Bürgen für die spanische Grausamkeit, von der in der Novelle immer wieder die Rede ist: Leyva quält ein unschuldiges Tier (XIII, 228); Don Juan spielt mit Julia Dati wie die Katze mit der Maus (XIII, 189)[15] und hat auf einem raschen Rückzug aus der Provence "ein Haus, in dessen Keller ein Dutzend seiner Leute sich verspätet hatten ohne mit der Wimper zu zucken, anzünden und in Flammen aufgehen" lassen (XIII,187); Moncada fordert, dass in Mailand der Schrecken herrsche (XIII, 226) und verkündet auch schon den Terror der Inquisition. Moncadas religiöser Fanatismus rechtfertigt Pescaras Behauptung, dass Spanien von "mönchischem Wahnsinn" besessen sei (XIII, 253). Der vermessene Stolz Spaniens manifestiert sich in Moncadas Feststellung, dass Spanien die Welt sei, und der Spanier nichts weniger als von Gott geschaffen, den apostolischen Stuhl zu reinigen (XIII, 261f.). Der Politik des Kirchenstaats nicht unähnlich wird Spaniens Imperialsmus durch seinen Katholizismus gerechtfertigt, denn "alles Irdische hat himmlische Zwecke" (XIII, 262).

Im Gegensatz zu Italiens dekadenten, tollen oder zaudernden Politikern erscheinen die Vertreter Spaniens als Männer mit Haltung und Entschlossenheit. Der Beginn und der Erfolg der spanischen Hegemonie beruht nicht nur auf einer gewaltigen Staatsidee, mit der sich ein militanter Missionsgedanke verbindet, sondern auch auf solchen Männern, die Pescara einmal als "Sklaven und Henker" (XIII, 253) beschreibt. Sie sind tatsächlich beides, und zwar ihrer unbedingten und blinden Staats- und Kirchentreue wegen. Die Schlimmsten unter ihnen: Don Juan, dem Pescara empfiehlt:

> Treue am Fürsten ist die einzige Tugend, deren Ihr zur Not fähig seid, und der letzte Ehrbegriff, der Euch übrig bleibt. Sie wird Eure Unerbittlichkeit adeln, wenn Ihr dieselbe gegen Abfall und Empörung ausübet, und Eure grausamen Triebe werden der irdischen Gerechtigkeit dienen. Nehmet das als wohlgemeinten Rat... (XIII, 229f.)[16]

und natürlich Moncada, als der Meuchelmörder des alten Pescara, der vielleicht glaubte, "eine Pflicht zu erfüllen und als guter Christ zu handeln, da er dem Wink einer Königsbraue gehorchte" (XIII, 232); die Besten unter ihnen: Helden mit einem Ehrbegriff wie der Cid (XIII, 180), der seine feudale Treue selbst dann noch wahrt, als ihn sein Lehnsherr verschmäht hat.

Auch dem negativen Bild Spaniens wird nur Teilgeltung gelassen; auch hier bemüht sich Meyer um ein Gleichgewicht aus Gegensätzen: einerseits Grausamkeit und Fanatismus - andererseits Ehrbegriff und Staatstreue.

Pescaras zwei Seelen

Von Pescaras Rätselhaftigkeit und Undurchschaubarkeit ist in der Novelle immer wieder die Rede. Das Enigmatische seiner Person hängt zum einen Teil damit zusammen, dass er seine Todeswunde so lange wie möglich verheimlichen will. Zum anderen Teil jedoch liegt Pescaras Unerforschbarkeit meiner Meinung nach darin begründet, dass er sich, selbst wenn er unverwundet wäre, in keine seinen Zeitgenossen geläufigen Kategorien einfügen lässt und dass sich sein Wesen also auch deshalb für jene verflüchtigt, die ihm auf den Grund zu kommen trachten. - Selbst Victoria, die Gattin, muss sich eingestehen, dass sie Pescara im Grunde genommen gar nicht kennt (XIII, 159, 185f., 237, 241). Guicciardini, der Pescara im ersten Kapitel zu durchschauen vermeint, muss später zugeben, dass er "Verborgenes und Geheimgehaltenes" (XIII, 181) wittere. Morone, vor dem lebensgrossen Bild des schachspielenden Pescara, fragt den Feldherrn, wie er wohl spielen werde (XIII, 165). Und Moncada glaubt, Pescara trage eine Maske und wundert sich, welch ein Gesicht sie verbirgt (XIII, 227).

Das Herumdeuten an Pescara nimmt zuweilen ganz konkrete Form an, da nämlich, wo es sich auf die Frage konzentriert, ob Pescara Italiener oder Spanier sei. So möchte Morone zum Beispiel von Guicciardini erfahren, ob Pescara die Züge eines Italieners oder eines Spaniers trage (XIII, 165). Don Juans Ohren gellen von dem wütenden Streit in ganz Italien "über das wahre und gültige Vaterland der Avalos: ob wir Neapolitaner sind oder Spanier" (XIII, 202). Morone wird Pescara später kurzwegs zum "Sohn Italiens" erklären (XIII, 207); für Moncada ist er ein "Sohn Spaniens" (XIII, 262); und der Papst meint mit der für ihn bezeichnenden Umsicht, Pescara sei "eher (s)ein Untertan als derjenige des Kaisers" (XIII, 177). - Freilich ist all dies "Müssiges Gezänke" (XIII, 202), denn Pescara trägt eben zwei Seelen in seiner Brust.

Morones Frage, welche Züge Pescara trage, beantwortet der gescheite Guicciardini mit ätzender Ironie, die aber auch erkennen lässt, dass der päpstliche Gesandte die hybride Anlage Pescaras herausgespürt hat, und dass er den Feldherrn nicht einfach der einen oder anderen Partei zuschiebt:

> Eine schöne Mischung, Morone. Die Laster von beiden: falsch, grausam und geizig! So habe ich ihn erfahren, und du selbst, Kanzler, hast mir ihn so gezeichnet. (XIII, 165; meine Hervorhebung)

Morone wendet darauf ein, dass Pescara sich verändert habe: "Menschen und Dinge wechseln". Guicciardini jedoch ist anderer Meinung:

> Die Dinge, ja; die Menschen, nein; sie verkleiden und spreizen sich, doch sie bleiben, wer sie sind. (XIII, 166)

Man sieht sich hier vor die komplizierte Frage gestellt, wer von beiden in Hinsicht auf Pescara recht hat. Eine Briefstelle Meyers scheint Morone beizustimmen. Zu den grossen Momenten der Novelle zählte Meyer selber die "Veredelung seines Charakters (karg, falsch, grausam) durch die Nähe des Todes".[17] Die von

Guicciardini aufgezählten negativen Eigenschaften, jene "schöne Mischung", mag einmal auf Pescara zugetroffen haben; jetzt aber, sub specie aeternitatis, hat sich der Feldherr verändert. Nicht nur die Dinge sondern auch die Menschen scheinen zu wechseln. Wie aber lässt sich dies am Text belegen? Zum Problem der charakterlichen Veredlung Pescaras hat Michael Shaw in ikonoklastischem[18] Ton bemerkt:

> Since nothing is known of Pescara prior to the story, and since his character does not change within it, the question, whether it is ennobled or not is an irrelevance. On the other hand, the question concerning the evidence for Pescara's justice, or loyalty, or mildness, and, more importantly, the question concerning their function in the story have not been asked insistently enough.[19]

Es ist wirklich der Fall, dass Pescara in der Novelle nirgends als falsch, grausam oder geizig dargestellt wird, auch nicht in Hinweisen, die sich auf Pescara vor der Schlacht von Pavia, in der er die tödliche Seitenwunde empfing, beziehen. Unverbindlichkeit und Zurückhaltung sind nicht identisch mit Falschheit; obgleich Pescara einmal bemerkt, dass er "die grausame Ader" in sich selbst spürt (XIII, 253), tritt sie doch nirgends hervor. Mit seinem und des Kaisers Gut geht er sparsam, nicht geizig um. Und dass die italienische Klerisei ihn, einen Agnostiker, der Habgier bezichtigt (XIII, 248), ist offensichtlich ein Urteil von befangener Seite.

Was den Pescara der Novelle anbelangt, so passen die von Shaw aufgezählten Eigenschaften der Treue, Gerechtigkeit und Milde viel besser auf ihn als Falschheit, Grausamkeit und Geiz. - Seit eh und je ist Pescara ein treuer Diener seines Herrn gewesen:

> Ich kannte die Versuchung lange, ich sah sie kommen und sich gipfeln wie eine heranrollende Woge, und habe nicht geschwankt, nicht einen Augenblick, mit dem leisesten Gedanken nicht. (XIII, 242)[20]

Seine Freundschaft mit dem Hochverräter Bourbon erregte bei Louise von François allerdings folgenden Einwand:

> Die nicht bloss berufsmässige, sondern innerliche Freundschaft des Helden mit dem gröblichsten aller Verräther selbst in dieser Zeit...bricht...seinem, des Helden, Treuebedürfnis bedenklich die Spitze ab.[21]

Dem ist aber nicht so. Es bedeutet lediglich, dass Pescara dem Freund gegenüber seinen persönlichen Masstab nicht anlegt. Das bricht seinem eigenen Treuebedürfnis nicht die Spitze ab; es zeigt vielmehr, dass seinem Treuebegriff die inhumane Starrheit fehlt, und nicht zuletzt vermag er Bourbon in Freundschaft und mit Toleranz entgegenzutreten, weil sich "de(r) ursprüngliche(n) und unzerstörbare(n) Adel" (XIII, 199) des Connetable, seine Essenz sozusagen, in einem gemarterten Gewissen manifestiert und er einer Lektion zum Thema Treue - im Gegensatz zu Don Juan - keineswegs bedarf.

Im Unterschied zu seinem Neffen glaubt Pescara nicht an den Krieg "zwischen dem männlichen Willen und der weiblichen Unschuld" (XIII, 189): Zärtlichkeit und Verehrung charakterisieren sein Verhältnis zu Victoria. Sanftheit und Milde und Gerechtigkeit kennzeichnen zudem seine politischen Schritte. Seinem greisen Arzt verspricht er, "Ich werde dein Italien nicht misshandeln, ich werde gerecht und milde verfahren" (XIII, 224). Nach der Eroberung Mailands hält er sich an dieses Versprechen. Selbst auf die Gefahr hin, von Moncada und Leyva des Verrats am Kaiser beschuldigt zu werden. Pescara spricht Italien zu, dass es "wenigstens menschlich" sei und sorgt auch dafür, dass nach seinem Tode menschlich mit Italien umgegangen werde (XIII, 231). - Pescara kennt die Verlockung der Macht; einmal soll ihm das Wort entschlüpft sein "Menschen und Dinge mit unsichtbaren Händen zu lenken sei das Feinste des Lebens, und wer das einmal kenne, möge von nichts anderem mehr kosten" (XIII, 186). Meistens jedoch meint er, "Politik sei ein schmutziger Markt , ein ek(ler) Sumpf". Dass dies nicht leere Worte sind, beweist Pescara durch eine seiner letzten Handlungen, das Verbrennen der geheimen Papiere:

> was sich um einen Mächtigen dreht, eine Welt von Schlechtigkeit. Er vernichtete das meiste, es in den Herd werfend: er wollte niemanden verderben. (XIII, 263)

Pescara ist also nicht der ruchlose, machtbesessene Held der Renaissance von dem Guicciardini meinte, dass er die Mittel und Aufgaben der Zeit ausnutze, um seinen eigenen vollen Wuchs zu erreichen.[22] Wie im folgenden Abschnitt zu zeigen gilt, erreicht Pescara seinen vollen Wuchs, indem er sich den Aufgaben seiner Zeit vielmehr unterwirft.[23] - Im Gegensatz zu Moncada ist sein Dienst- und Treuebegriff frei vom Fanatismus des Doktrinärs. Im Falle der Freundschaft zu Bourbon zeigt sich auch, dass er kein Sklave von Begriffen und Ideologien ist, denn in seinem Universum findet sich auch Platz für den Hochverräter mit Gewissen.

Ironischerweise verliert damit Guicciardinis Bemerkung ihre ironische Pointe: Pescara ist eine schöne Mischung.

Italien und Spanien: ein Vermittlungsprozess

In dem ersten längeren Gespräch nach der Vereinigung mit Victoria bemerkt Pescara, dass er, was die Versuchung durch die Liga anbetrifft, keine Wahl gehabt hätte; "ich gehörte nicht mir, ich stand ausserhalb der Dinge" (XIII, 242). Damit spielt er sicherlich auf seinen nahenden Tod an, der ihm die Zukunft verbaut und ihn dem Leben entfernt hat. Die Worte sind allerdings zweideutig: Er gehört sich nicht selber, weil er - abgesehen vom Tod, gewiss - ebensosehr dem Kaiser gehört. Und er steht ausserhalb der Dinge, d.h. ausserhalb der politischen Rivalität, weil er weder Italiener noch Spanier sondern beides zugleich ist. Für den Feldherrn liegen die Dinge paradoxerweise so, dass er sich nur in dem Masse selber gehört, als er dem Kaiser gehört:

> Wäre ich aber von meinem Kaiser abgefallen, so würde ich an mir selbst zugrunde gehen und sterben an meiner gebrochenen Treue, denn ich habe zwei Seelen in meiner Brust, eine italienische und eine spanische, und sie hätten sich getötet. (XIII, 252f.)

Es zeichnet sich im Verlaufe der Ereignisse in der Novelle immer deutlicher ab, wie sehr der Kaiser und das Verhältnis zwischen ihm und Pescara allgemein missverstanden werden. Papst Clemens kommt dem wahren Sachverhalt am nächsten: er fürchtet nicht zu unrecht, dass im jungen Karl der alte Kaisergedanke der Salier und Staufen neu erwache, ein Gedanke, der die kirchenstaatlichen Machtansprüche und Privilegien unmittelbar bedrohen würde, denn Karl repräsentiert ein echt kosmopolitisches, weltweites Prinzip: er vereinigt "Völker in seinem Blut und auf seinem Haupt Kronen" (XIII, 177). Er vertritt somit auch das einzige Prinzip und die einzige Institution, in deren Dienst Pescara sich kraft seiner zwei Seelen stellen kann. Das allerdings erkennt weder der Papst noch die <u>anderen</u> Versucher. Solange Pescara lebt, vermag einzig die Treue zum Kaiser die Koexistenz seiner beiden Seelen und damit sein geistiges Leben überhaupt gewähren. Georges Brunet hat bemerkt, dass Pescara als Spanier Italien und als Italiener Spanien verdamme. Deshalb sei er heimatlos und unfähig, eine Wahl zu treffen.[24] Dem ist entgegenzuhalten, dass Pescara weder Italien noch Spanien absolut verurteilt, dass er sowohl als Italiener als auch als Spanier vermittelnd für den Kaiser wählt, und dass er - wie noch zu zeigen sein wird - zwar keine geographische aber eine geistige Heimat besitzt.

Der Kaiser tritt in der <u>Versuchung des Pescara</u> nie selber in Erscheinung; ja, wir erfahren, dass er bisher Italien gar nie betreten hat: eine Herrschergestalt, an der nicht weniger herumgerätselt wird als an seinem Oberfeldherrn.[25] Gleich eingangs erwähnt der junge, unsichere Sforza den Kaiser in seiner Funktion als Lehnsherrn, gegen den man sich nicht versündigen dürfe; in der folgenden Szene bittet Bourbon den Herzog von Mailand um Gehör für eine kaiserliche Botschaft und erinnert ihn an seine Lehenspflicht; im letzten Kapitel dann tritt Pescara in den herzoglichen Palast zu Mailand, um Sforza aufs neue in Pflicht für seinen Lehnsherrn, den Kaiser, zu nehmen (XIII, 266). Das Thema der Lehenspflicht zieht sich durch die ganze Novelle. - Pescara erspart dem abtrünnigen Herzog die von Leyva und Moncada - von Spanien also - geforderte Gefängnisstrafe und benutzt diese Gelegenheit, um dem unerfahrenen Herzog eine kleine Lehre zu erteilen: Sforza, so meint er, bedürfe der Stetigkeit, und er verspricht dem Herzog, dass ihn keine Zeitwelle verschleudern werde, solange er in der Bahn des Kaisers wandelt und verharrt (XIII, 268). Wenn Mailand sich dem Kaiser fügt, so kann ihm politische Stabilität garantiert werden; es ist also nicht mehr wie mit der Liga "(a)uf die Gunst der Umstände, auf die Würfel des Zufalls und auf das Spiel der Politik" (XIII, 259) angewiesen.

Pescara kann Italien die Freiheit nicht geben; dazu ist Italien nicht reif genug. Er gibt ihm jedoch, was es verdient: Politische Kontinuität und, indem er den Konnetabel zu seinem Nachfolger bestimmt, Menschlichkeit statt Grausamkeit. Pescara weigert sich, der Empfehlung Moncadas, dass der Schrecken in Mailand herrsche, Folge zu leisten, und er begründet es bezeichnenderweise mit dem sowohl Italien als auch Spanien <u>umgreifenden</u> Reichsgedanken: Pescara dient dem Kaiser; "Mailand ist Reichsgebiet, und der Kaiser will nicht, dass das Reich misshandelt werde" (XIII, 226).

Victoria, aus ghibellinischem Geschlecht stammend, stellt sich die gequälte Frage, warum der junge Kaiser zugleich der König des ruchlosen Spaniens sein müsse und sie beantwortet die Frage, indem sie gegen den Kaiser entscheidet, sich von der Sache der Liga hinreissen lässt und "mit einer geraubten Krone...über die gemeuchelte Staatstreue" hinwegschreitet (XIII, 182). Pescara hingegen löst denselben Konflikt, der sich ja auch für ihn und noch sehr viel dringender stellt, indem er - zumindest in Meyers Novelle - nie dem König von Spanien und stets dem Kaiser dient.[26] Auf Moncadas Vorwurf, dass Pescara wohl nicht der Urheber aber der Begünstiger der italienischen Verschwörung sei, antwortet Pescara:

> "Ritter...nicht Euch habe ich Rechenschaft zu geben von meinem Tun und Lassen sondern allein meinem Kaiser." (XIII, 261)

Darauf entgegnet Moncada:

> "Eurem Könige...Ihn so zu nennen, gebietet Euch die Ehrfurcht, denn ein König von Spanien ist mehr als der Kaiser." (XIII, 261)

Trotzdem handelt Pescara auch im Folgenden niemals im Namen des Königs; selbst sein allerletztes Schreiben richtet er an den Kaiser.

Zwischen dem Kaiser und Pescara besteht - auf Distanz - ein persönliches Verhältnis: Den Undank des Kaisers und den Groll Pescaras, von denen in Italien gemunkelt wird, schimpft Pescara selber Lügen. Der Kaiser hat ihm zwar den Sieg von Pavia "verstümpert"; doch mit Ausnahme dieses einen Tadels lässt Pescara kein kritisches Wort über Karl verlauten. Er hat es auch nicht nötig, ernennt ihn doch der Kaiser, als ob er seinen Fehler von Pavia erkenne, zum Bevollmächtigten bei der Einnahme Mailands. Wie Pescara aus einem kaiserlichen Geheimschreiben erfährt, hat Karl dies gegen den Rat seiner Minister durchgesetzt; er warnt Pescara auch vor Moncada. Er glaubt an Pescara, ebenso wie Pescara an ihn glaubt. Auch der junge Kaiser versucht, die Politik nicht völlig zum Sumpf werden zu lassen; darum die Vollmacht, darum das Geheimschreiben. Pescara dankt ihm dafür, indem er den Brief des Kaisers beim Verbrennen von den anderen Papiere sondert:

> Auch das Geheimschreiben des Kaisers sollte verschwinden, doch seine Asche nicht mit der übrigen sich vermengen. Er liess ein glimmerndes Kohlenbecken bringen, in dessen bläulichen Flämmchen er den Brief des Kaisers verbrannte. (XIII, 263)

Pescara weiss, dass der Papst sein Gewissen in Bezug auf einen Verrat am Kaiser absolvieren würde. Pescara weiss aber auch, dass eine Absolution ihn nicht von der eigenen Gewissensforderung befreien kann:

> Ich aber glaube nicht an ein solches Binden und Lösen, nicht in weltlichen Dingen, weder ich noch irgendein anderer mehr, und...auch in geistlichen nicht. Das ist vorbei, seit Savonarola und dem germanischen Mönche. (XIII, 241)

Pescaras unerschütterliche Kaisertreue bedeutet Kompromiss: ethischen Kompromiss, insofern er ihm erlaubt, sich selber, seinen beiden Seelen treu zu bleiben, und zwischen ihren Widersprüchen auszugleichen und zu vermitteln; politischen Kompromiss, im Hinblick darauf, dass er weder den Forderungen Italiens noch Spaniens nachgibt, sondern die Integrität des Reichsgedankens über die Parteiinteressen setzt; in sich selbst und in seiner Politik sind die Schlacken ausgeschieden. Indem Pescara sich weigert, die korrupten Mittel seiner Zeit in Kraft zu setzen, hebt er sich vom typischen Renaissancehelden ab. - Für Meyer bestand ja bekanntlich das Wesen des 15. und 16. Jahrhunderts im Kampf und Gegensatz von Renaissance und Reformation, ein Kampf der zur "Entstehg. des modernen Menschen"[27] führte. - Pescara ist ein neuer Mensch. Eine cisalpine säkularisierte Luthergestalt. Verschiedentlich wird in der Novelle von Luther geredet, die Reformation in Deutschland wird öfters diskutiert. Wie der Kaiser ist auch Luther Randfigur von ideenstruktureller Bedeutung; in dieser Funktion geben sie beide Auskunft darüber, wer Pescara eigentlich ist. Guicciardini, der an Luthers Sendung glaubt und ihn zu den weltbewegenden Gestalten zählt, findet, dass solche Menschen immer zwei Ämter haben:

> er vollzieht, was die Zeit fordert, dann aber - und das ist sein schwereres Amt -, steht er wie ein Gigant gegen den aufspritzenden Gischt des Jahrhunderts und schleudert hinter sich die aufgeregten Narren und bösen Buben, die mittun wollen, das gerechte Werk übertreibend und schändend. (XIII, 161)

So einer ist Luther; so einer ist auch Pescara, der sich eben nicht die Forderungen der Zeit zunutze macht, sondern ihnen vielmehr dient.[28] Er tut sein Tagewerk, wie es von ihm erwartet wird, und er übt dabei was der Zeit mangelt: Milde und Gerechtigkeit. Die Versuchungen der "aufgeregten Narren" (Morone) und der "bösen Buben" (Moncada) hat er hinter sich geschleudert. Pescaras Heimat, seine geistige Heimat ist die der weltbewegenden Menschen überhaupt: ihre Gesetze umgreifen Parteien und Nationen; es sind die Gesetze ethischen Verhaltens im privaten wie im öffentlichen Leben, in weltlichen wie in geistlichen Belangen.

Dass dieser neue, ethische Mensch ein Sterbender ist, darin liegt freilich die tragische Ironie der Novelle.[29]

Das Ironische des Vermittlungsprozesses

Ziel dieser Untersuchung ist zu zeigen, dass C. F. Meyer in der Novelle Die Versuchung des Pescara abgesehen von der Ironie des Schicksals (ein sterbendes Italien bewirbt sich um einen sterbenden Helden), abgesehen auch von Pescaras ironischer Lebensdistanz (dem Tode nahe hat er den Weitblick über die menschliche Komödie) einen weiteren Ironie-Aspekt in die Novelle eingeführt hat. Dieser beruht auf der polaren Themenstellung Italien-Spanien und dem Vermittlungsprozess zwischen diesen Gegensätzen. Es ist jene

Ironie, die Thomas Mann einmal als "persönliche Ethik" und "innere Politik"[30] bezeichnet und als "de(n) Wille(n) zur Vermittlung und zum positiven Ergebnis" definiert hat. Solche Ironie und Politik

> braucht bei alldem der Kraft keineswegs zu entbehren, um immer das Gegenteil ihres Gegenteils zu bleiben: der vernichtenden Unbedingtheit, des Radikalismus.[31]

Sowohl Italiens Verschwörung als auch der Ehrgeiz Spaniens fussen auf radikalen und fanatischen Ideologien. Für Spanien erübrigt sich eine Erklärung; was Italien anbelangt, so hat zum Beispiel Gunter Hertling gezeigt, dass die Einbildungskraft und Phantastik der Liga "in ihrer extremen Form sich jeglichem Idealismus widersetzt, folglich...sich zur fanatischen Ideologie abwandelt".[32] Pescara widersetzt sich beiden Ideologien; er kennt und ehrt andererseits die echten Qualitäten der beiden Pole Spanien und Italien. Gerade hier setzt nun Pescaras Politik ein, die sich von der "äusseren Politik" der Aktivisten Morone und Moncada wesentlich unterscheidet. Der Mannsche Begriff der "äusseren Politik"[33] entspricht durchaus dem, was Pescara einmal einen "eklen Sumpf" und "schmutzigen Markt" genannt hatte. Es wäre jedoch verfehlt, Pescara wegen seiner negativen Definitionen der Politik etwa apolitisch zu nennen. Er ist zutiefst politisch; sein politischer Kompromiss, den er mit der Hilfe des Kaisers gegen die Liga und gegen die spanische Partei durchsetzt, ist gekennzeichnet vom Willen zur Vermittlung und zum positiven Ergebnis; sein Kompromiss umgeht die Ruchlosigkeit der Zeit und ist geprägt vom Gewissen, ist "innere Politik", ist Ironie.

Es mag arbiträr anmuten, die oft sehr persönlichen und mit dem eigenen Werk eng verwachsenen Bemerkungen Thomas Manns zu einer Definition der Meyerschen Ironie herbeizuziehen. Die Methode scheint aber gerechtfertigt, wenn man bedenkt, dass gerade Thomas Mann sich zur Ironie im Werk Meyers geäussert hat, wenn auch indirekt. Seine Hinweise auf Meyer tragen Wesentliches zum Verständnis der ironischen Dimension in der Versuchung des Pescara bei.

Thomas Mann schreibt in den Betrachtungen eines Unpolitischen von dem eigentümlichen Reiz, der von Meyers Werk ausgeht, einem Reiz, der unter anderem "auf der Durchdringung der Welt schöner Ruchlosigkeit mit protestantischem Geist" beruht; daran anschliessend meint er:

> Wenig glich Conrad Ferdinand Meyer den durch Nietzsche hindurchgegangenen Renaissance-Ästheten von 1900, welche Nietzsches theoretische Antichristlichkeit mechanisch über-

> nahmen; den "Verrat am Kreuz", er konnte ihn nie begehen...
> Er wahrte Treue dem Leiden und dem Gewissen.[34]

Den "Verrat am Kreuz" nicht begehen bedeutet für Thomas Mann "Treue dem Leiden und dem Gewissen" wahren, und zwar nicht nur in einem unmittelbar christlichen sondern auch in einem ausserkonfessionellen und ins Immanente verlegten Sinn, spricht er doch an anderer Stelle vom "Verrat am Kreuz", den jene nicht begehen, die "mit einem natürlichen Beruf zum Zweifel, zur Ironie und zur Schwermut"[35] zur Welt kamen. Das passt auf Meyer und - mit Ausnahme der Schwermut - auch auf seinen Pescara. Der ist ein Zweifler: er hat die Gewohnheit, "die Dinge unter ihrem trügerischen Antlitz auf ihren wahren Wert" (XIII, 169) zu untersuchen. Er ist ein Ironiker in doppelter Form: weil er vom Tode gezeichnet den Überblick hat, der den vom Leben Befangenen noch mangelt; und weil er als der neue Mensch "innere Politik" betreibt.

Um das gesamte Spektrum der Ironie in der Person Pescaras zu sehen, muss man - Morones Rat befolgend - Pescara gegen Pescara in die Waagschale werfen: den Ironiker als Sterbenden und den Ironiker als neuen Menschen; den Ironiker aus Notwendigkeit und den Ironiker aus freiem Willen.

II. POLYVALENZEN DES STILS

An drei Novellen - Der Schuss von der Kanzel, Der Heilige und Das Leiden eines Knaben - sollen verschiedene Varianten einer weiteren typischen Form der Ironie Meyers untersucht und auf ihre Funktion innerhalb der einzelnen Werke befragt werden.

Das Prinzip der polarisierten Themenstellung und seiner ironischen Implikationen findet seine Entsprechung in den Polyvalenzen des Stils: Der weit aufgefächerten antithetischen Thematik entsprechen Vielstimmigkeit und sprachliche Vieldeutigkeit, die - wie Reinhard Baumgart darlegt - rein stilistisch gesehen Voraussetzung aller Ironie sind.[1]

An Hand der drei gewählten Novellen soll gezeigt werden, wie stoffliche Ebenen und verschiedene Erzählstränge teils nebeneinander herlaufen, teils sich verschlingen oder überkreuzen. Charakterpotenzen sind so verteilt, dass die Gestalten zwei- oder mehrdeutig sind. Probleme werden von verschiedenen Seiten angeleuchtet, z.B. das Problem des richtigen Berichtens im Heiligen oder des richtigen Diskurses in Das Leiden eines Knaben. Aussagen werden gemacht, Befehle erteilt und später wieder aufgehoben. Sprachliche Vieldeutigkeit soll ferner andeuten, dass die Geschehnisse nicht nur so sondern auch anders hätten verlaufen können: Durch sprachliche Polyvalenz wird die Aussagekraft eines Wortes oder einer Bemerkung verunsichert und in Schwebe gehalten.

Die spezifische Bedeutung dieser stilistischen Mehrschichtigkeit wird in den Untersuchungen zu einzelnen Werken zur Sprache kommen.

1. Die Struktur der stofflichen Ebenen: Der Schuss von der Kanzel

Conrad Ferdinand Meyer veröffentlichte seine Novelle Der Schuss von der Kanzel erstmals als Beitrag zum Zürcher Taschenbuch für 1878. In einem Brief an einen Verwandten bekannte Meyer, er habe "von Zürchersachen nur diess geringe Sujet...".[1] - Die Publikation in der Deutschen Rundschau hatte er mit der folgenden Begründung abgelehnt: er würde in der Rundschau "ungern auf (s)eine Hauptforce verzichten, nämlich auf einen grossen humanen Hintergrund, auf den Zusammenhang des kleinen Lebens mit dem Leben und Ringen der Menschheit".[2] Das Versteckspielen mit Verleger und Publikum kennzeichnet die gesamte Meyer-Korrespondenz, und man sollte also auch der eben zitierten Aussage nur bedingte Beachtung schenken. Obschon Meyer immer wieder auf den eng lokalen Rahmen der Novelle zu sprechen kam und kaum mit dem Interesse einer deutschen Leserschaft an seinem Schuss rechnete, verzichtete er dennoch keineswegs auf "den grossen humanen Hintergrund". Gewiss, dem Schuss von der Kanzel fehlt zwar die für Meyer so bezeichnende historische Freskenmalerei; doch auch hier, wie im Laufe der vorliegenden Beobachtungen noch gezeigt werden wird, besteht der "Zusammenhang des kleinen Lebens mit dem Leben und Ringen der Menschheit"; nur ist dieser Zusammenhang eben nicht wie anderswo in Meyers novellistischem Werk so offensichtlich durch Weltgeschichte hergestellt worden.

Ein ironisches Schaffensprinzip bestimmt die Struktur der stofflichen Ebenen in Meyers Schuss von der Kanzel. Hier ist Meyers ironisches Erzählen unter anderem das Resultat eines bis in alle Einzelheiten sorgfältig ausgewogenen Balanceaktes zwischen zwei entgegengesetzten stofflichen Ebenen, zwischen der Ebene des christlichen Mythikon einerseits und der Ebene des heidnisch Mythischen andererseits. Im Folgenden soll das ironische Verhältnis dieser beiden stofflichen Ebenen zueinander untersucht werden. Vorerst werden die beiden stofflichen Ebenen einzeln betrachtet; dann einige ironische Motive und Namen analysiert, in denen diese Elemente unmittelbar aufeinanderstossen; abschliessend folgt eine Auswertung der Ergebnisse mit dem Ziel, dem besonderen Sinn des ironischen Zusammenspiels der stofflichen Ebenen in der Novelle auf den Grund zu kommen.

Christentum und Heidentum - Mythikon und Mythos

Im Schuss von der Kanzel schneidet das Christentum, wie es von den kirchlich gesinnten Mythikonern vertreten wird, recht ungünstig ab. Der helvetisch-reformierte Glauben, für den ein ironischer Meyer Herrn Waser im Jürg Jenatsch so eifrig plädieren liess, wird auch im Schuss von der Kanzel wieder unter die Lupe genommen.[3] Pfarrer Rosenstocks Erläuterungen kann man entnehmen, dass die Landeskirche über alle Massen nachtragend und rachsüchtig ist, hat sie doch General Wertmüllers Blasphemien sorgfältigst registriert, "...das wurde dann so gesammelt, das summierte sich dann so" (XI, 81). Im Moment lässt die Kirche den General zwar wieder in Ruhe, aber nur, weil sie befürchtet, dass er am Ende gar aus lauter Wut über die Geldstrafen doch noch zu den Katholiken[4] überlaufe. Die betont protestantische Glaubenszugehörigkeit verschiedener Gestalten in der Novelle mutet recht äusserlich an. Es ist bestimmt nicht von ungefähr, dass Rosenstock - wohlhabend, dick und rosig, wie er ist - man vergesse nicht: er entstammt einem alten Zürichergeschlecht (XI, 261) - ausgerechnet auf seine "apostolische Armut" anspielt. Krachhalder, der Mythikoner Kirchenälteste, ein "kirchlicher Mann", wie ihn der Dichter einmal nennt, ist tief empört, dass an der "Stätte seiner sonntäglichen Gefühle" ein Schuss abgefeuert wurde. Die übrigen sechs Tage aber ist es mit den sonntäglichen Gefühlen dieses kirchlichen Mannes nicht so weit her; Geld steht da eher auf dem Programm als Nächstenliebe. Abgesehen von dem tüchtigen Geschäftssinn der Mythikoner bekundet sich bei ihnen auch ein profundes Misstrauen gegenüber Schönheit und Sinnenfreude, was sich vor allem in dem bösen Geschwätz über die "Türkin" äussert. Was die sonntäglichen Mythikoner Kirchgänger an Prüderie aufbringen, geht ihnen an einfacher Lebensfreude ab.[5]

Aber nicht nur die Mythikoner Kirchgemeinde sondern das Christentum im weiteren Sinn schneidet in der Novelle recht mässig ab, und es will mir scheinen, als habe Meyer hier einmal mit etlichem Vergnügen - ganz wie sein General - das Feuer etwas geschürt pour épater le bourgeois. In der ironischen Bemerkung Wertmüllers über die Kreuzzüge als einer "geistreichen Epoche" (XI, 95), in welcher unter anderem die Wappen erfunden wurden, d.h. der Name mehr galt als der Mann, bekundet sich auch eine gewisse Zivilisationsskepis des Dichters. Die Zeit der Kreuzzüge ist zudem eine Epoche, die im Namen einer heiligen Sache die unglaublichsten Grausamkeiten nicht nur zugelassen sondern auch gutgeheissen hat; bestimmt will Meyer mit Wertmüllers ironischer Bemerkung unsere Aufmerksamkeit gleichzeitig auf jenes wenig ehrenvolle Kapitel der Geschichte des Christentums lenken. So stellt Wertmüller zum Beispiel auch die Vorstellung von der Brüderschaft aller Menschen als lügenhafte Phrase bloss (XI, 88), und grob-komisch tritt die mit dem Christentum eng verkoppelte Zivilisationsskepsis hervor, wenn der alte Freigeist seinen heidnischen Diener Hassan warnt:

> Die Berührung mit der Zivilisation richtet dich zu Grunde - du säufst wie ein Christ! (XI, 87)[6]

Für den Schuss von der Kanzel gilt: die christlich-kirchliche Zivilisation darf in Wertmüllers wie auch in des Dichters Augen nicht summarisch als ein summum bonum betrachtet werden: daher der ironisch irreverente Ton in der Novelle, wenn immer von der Kirche und ihren Vertretern die Rede ist. Daher kommt es eben schockierenderweise bei währendem Sermone zu dem "Schuss von der Kanzel"![7]

Es ist auffallend mit welcher Häufigkeit Meyer die Welt der Literatur und der Mythen, der griechischen ganz besonders - freilich, auch Rübezahl geistert am Zürchersee herum - in den lokalen Rahmen der Novelle hereingezogen hat. Bei dem Reichtum an literarischen und mythologischen Hinweisen handelt es sich nicht um literaturhistorisches Sammelsurium eines epigonenhaften Bildungsdichters. Meines Erachtens dienen die mythologischen Anspielungen auch nicht einfach "als Mittel der Komik", wie dies kürzlich von Siegfried Mews behauptet worden ist.[8] Marianne Burkhard meint, dass Meyer durch die Mythologie "verschiedene Lebensarten und verschiedene Welten voneinander" abhebe:

> Sie ist die Trägerin komischer und ironischer Elemente und darin das Zeichen eines differenzierten Stilbewusstseins, das nicht mehr unmittelbar und einheitlich empfindet.[9]

Die Göttersagen "scheiden im Schuss von der Kanzel die Welt des geistreichen Generals von derjenigen der Zürcher Bauern...", die mythologischen Motive sind laut Marianne Burkhard ferner Zeichen der Distanz, "die der Dichter zwischen sich und das Werk, zwischen das Werk und den Leser setzt".[10] Diese Beobachtungen Marianne Burkhards sind zwar zutreffend; doch meines Erachtens reicht das breite Panorama der griechischen Literatur und Mythologie tief in die Struktur der Novelle hinein und ist ein für die ironische Anlage im Schuss von der Kanzel notwendiges Vehikel.

Im Schuss von der Kanzel ist die Welt um den Zürchersee doppelbödig; die Gestalten bewegen sich in zwei Welten, in der Landschaft um den Zürchersee und in einer mythischen Landschaft;

das barocke, christliche Mythikon ist zugleich Schauplatz einer komischen und durchaus freien Neuinszenierung des Dionysosmythos und der Pentheussage, wie sie Meyer aus den Bakchen des Euripides und aus Ovids Metamorphosen bekannt waren und die er an anderer Stelle (z.B. im Gedicht "Pentheus" oder in Das Leiden eines Knaben) der tragischen Überlieferung getreu übernommen hat.

Gleich eingangs verlegt Meyer seine Geschichte in eine "bacchische Landschaft" (XI, 77), er verfolgt dieses Motiv systematisch und breitet es netzartig über die gesamte Novelle aus. Vor allem aber ist die Hauptgestalt der Novelle, General Wertmüller, eine Dionysosgestalt und hat einige frappante Eigenschaften mit seinem antiken Vorbild gemein.

Dionysos war ein Vegetationsgott;[11] abgesehen vom Efeu wurden die Traube und die Eiche engstens mit ihm assoziiert. Er galt auch als "grosser Jäger".[12] - So fehlt es denn im Schuss von der Kanzel nicht an zahllosen Hinweisen auf Reben, Weinbau, Weinlese und Wein. Ebenfalls auf die Eichen, mit denen das Gut des Generals dicht bestanden ist, lenkt Meyer die Aufmerksamkeit des Lesers immer wieder. Wertmüller verfügt über eine ansehnliche Waffenkammer; er ist es, der seinen Vetter zur skandalösen sonntäglichen Entenjagd (XI, 98) verleitet, der den Schuss von der Kanzel inszeniert und der dem aus seinem Amt scheidenden Mythikoner Pfarrer die "Jagd" auf der Au vermacht.

Dionysos war ein Gott der Fruchtbarkeit, und als solcher trug er den Beinamen "der Phallische".[13] Parallel hierzu spricht Wertmüller von der Notwendigkeit eines kräftigen Schenkelschlusses und spielt sich - hauptsächlich um den gehemmten Vikar zu sticheln - als Vertreter der "männlichen Elementarkraft" auf (XI, 104). Im Hause Wertmüllers, und durch seinen Einfluss, im Bereiche "des Phallischen" also, träumt dann Pfannenstiel zum ersten Mal in seinem Leben wirr libidinöse Träume. - Dionysos Lyäus, der "Lösende", ist der Gott, der die Menschen von ihren Hemmungen befreit und den Trieben ihr Recht einräumt. Es ist gewiss kein Zufall, dass Meyers General gleich zweimal ausgerechnet den Geistlichen, d.h. den Vertretern einer dem Dionysos entgegengesetzten Ordnung, die Knöpfe von den Röcken abdreht, also ihre Pfarrkleider buchstäblich löst.

Weiter galt Dionysos als Urheber und Schutzpatron des griechischen Schauspiels. In dieser Funktion stellten die Griechen ihn oft mit einer Maske dar.[14] Entsprechend wird Wertmüllers Gesicht mit einer "grotesken Maske" (XI, 105) verglichen. Auch dass die Frösche auf der Au (XI, 106) ausgerechnet ihr aristophaneisches Brekekex quaken, hat seine besondere Bewandtnis: in den Fröschen des Aristophanes begleitet nämlich dieser Froschchor Dionysos, in seiner Funktion als Schutzgott des Dramas, bei seiner peinlichen Überfahrt in den Hades. Insbesondere jedoch treibt Wertmüller sein Spiel mit Pfannenstiel und seinem Vetter Wilpert und hält die Fäden in der Hand, an denen die beiden tanzen. Wertmüller inszeniert ein Schauspiel, das sich "auf die menschliche Unvernunft" (XI, 102) gründet und beinahe einen tragischen Ausgang hätte, wenn nicht er, als deus ex machina gewissermassen (XI, 125), es doch noch zum glücklichen Ende bringen würde.

Zur Zeit Homers gehörte Dionysos noch nicht zum "establishment" des olympischen Götterhimmels und wurde bisweilen mit dem ägyptischen Gott Osiris identifiziert.[15] Wertmüller, so erfahren wir im Schuss von der Kanzel, gleiche einer ägyptischen Gottheit (XI, 101). In den Bakchen des Euripides wird Dionysos als ein neuer Gott dargestellt, der vom Osten kommend als Stifter einer neuen Religion in seine Geburtsstadt Theben zurückgekehrt ist, um da den Dionysoskult einzuführen. Sein Unternehmen stösst freilich auf den Widerstand des jungen Königs von Theben - Penteus -, der Dionysos als einen Usurpator der alten Ordnung verdächtigt und sich zutiefst entsetzt über das orgiastische Verhalten der Thebanerinnen, die von Dionysos in Extase versetzt ihren Herd verlassen haben und nun wild in den Bergen umherschweifen. - Ähnlich wie Pentheus reagiert der junge Kandidat Pfannenstiel, wenn Meyer von ihm sagt: "Er konnte den Standpunkt Wertmüllers nicht teilen, denn er fühlte dunkel, dass eine so vollständige Vorurteilslosigkeit die ganze alte Ordnung der Dinge durchstiess,..." (XI, 96; meine Hervorhebung). - Wie Dionysos ist auch Wertmüller aus dem Osten, aus den Türkenkriegen in seine Heimat zurückgekehrt. Die konservativen und kleinbürgerlichen Mythikoner empören sich über sein Treiben auf der Au, eine Mutter fürchtet gar um die Unschuld ihrer schwachsinnigen Tochter, und selbst der gütige Pfannenstiel, "in dem keine Ader eines kirchlichen Verfolgers war" (XI, 81), bezichtigt den Heimkehrer einmal einer "heidnische(n) Verruchtheit" (XI, 105). Zuguterletzt wird Wertmüller - zwar indirekt - noch vorgeworfen, er sei der Gründer einer neuen Religion (XI, 124),[16] er habe ihre süsse sonntägliche Ruhe und die gewohnte Ordnung der Dinge mutwillig zerstört.

Abgesehen von den eben aufgeführten Gemeinsamkeiten zwischen Dionysos und Wertmüller gibt es aber auch Punkte, in denen sich die beiden wesentlich voneinander unterscheiden. Erstens erscheint Dionysos in den antiken Darstellungen als junger Gott - in den Bakchen zum Beispiel ist er ein Jüngling mit langen, blonden Locken, der zur Frühlingszeit nach Theben gelangt. Wertmüller hingegen ist ein alter Mann, der um seinen bevorstehenden Tod weiss; es heisst von ihm auch, dass er längst ein mässiger Mann geworden war (XI, 103). Wertmüller ist demnach ein entscheidend gedämpfter, ein ganz und gar herbstlicher Dionysos, der in dieser helvetischen Landschaft seinen Einzug hält, und dem es auch nicht darum geht, das Leben mir nichts dir nichts in ein Bachanal zu verwandeln. In der Mythikoner Welt, einer Welt beherrscht von ständischen, rassischen und konfessionellen Vorurteilen, einer Welt, die dem Schönen misstraut,[17] die das Fremde selbstgerecht verurteilt und in der die klugen Rechner das Wort führen, wirkt Wertmüller-Dionysos sowohl als zersetzender als auch als heilender Heimkehrer. Er glaubt an das Natürliche und Unverstellte im Menschen und - im weiteren Sinne - an die Wahrheit schlechthin. Wie sein Schöpfer Meyer weiss Wertmüller um den dem Menschen "allgemein inhärirenden Irrthum"; er ironisiert ihn, wo immer er ihm begegnet. Wertmüller, dem sich die prüden Mythikoner und die bigotte Landeskirche immer wieder in den Weg stellen, ist Freigeist und Ironiker in dem Sinne, dass er den Trieben, der Leidenschaft und der unverkrampften, echten Neigung ihr gebührendes Recht einräumen will. Durch ihn entdeckt zum Beispiel Pfannenstiel erstmals seine eigene, bisher sich selbst nicht eingestandene Sexualität. Darin gleicht er zwar dem jungen König von Theben; aber während Pentheus am Ende zerrissen und zerstückelt wird, bleibt es im bürgerlich-gemässigten Schuss von der Kanzel lediglich beim verwilderten Aussehen Pfannenstiels und den beiden abgerissenen Knöpfen. Im Unterschied zur antiken Überlieferung der Pentheussage werden hier durch Wertmüllers Eingreifen die Leidenschaften - sei es Eros, sei es die Waidlust oder das Würfelspiel - schliesslich in unschädliche und durchaus ehrbare Bahnen gelenkt. Dies nicht nur im Gegensatz zum antiken Mythos, sondern auch im Gegensatz zu Meyers eigener Behandlung des Pentheusstoffes in anderen Werken. Denn in jenen zerstört Dionysos "selbst die natürlichen Bande der Liebe.und den fundamentalen Respekt vor dem Leben eines anderen Menschen".[18]

Ironische Motive und Namen

Wie sehr es Meyer daran gelegen war, die beiden stofflichen Ebenen - Mythos und Mythikon - unmittelbar aufeinander stossen zu lassen, zeigt sich besonders deutlich an einigen Motiven und Namen, die mit ihrer ironischen Zweideutigkeit beide Welten verbinden.

Im ersten Abschnitt der Novelle beschreibt Meyer recht ausführlich das Rebgelände um den Zürchersee. Da ist die Rede vom Wein, vom guten Tropfen, von der Lese, dem Winzerjauchzen, den Weinbergen: der Dichter skizziert - wie er sie später auch nennt - eine "bacchische Landschaft". Wenn jedoch Pfarrer Rosenstock im selben Kapitel gleich zweimal von seinem eigenen "Weinberg" (XI, 79, 81) spricht, so meint er damit den christlichen, nämlich seine Kirchgemeinde. - Dass Rosenstock einen guten Wein zu schätzen weiss, geht daraus hervor, dass er sich über den General beklagt, der ihm zwar Mosler vorgesetzt, ihn aber mit seinen Bosheiten vergällt habe. Gewiss ist auch die Lese in seinem eigenen Weinberg nicht schlecht, denn dass es mit Rosenstocks "apostolischer Armut" in Anbetracht seiner bürgerlichen Behäbigkeit nicht sehr weit her ist, wurde schon oben festgehalten. Wenn er aber von seiner Kirchgemeinde als einem "Weinberg" spricht, dann meint er damit nichts Bacchisches sondern vielmehr etwas ganz und gar Christliches. Der neutestamentlichen Parallele zwischen Weinberg und christlicher Gemeinde ist er sich als Pfarrer wohl bewusst. - So vereinen sich im Motiv des Weinbergs die beiden stofflichen Ebenen des Bacchischen und des Evangelischen: denn das Distillat, das durch die mühselige Arbeit im Weinberg schliesslich gewonnen wird, ist sowohl der Wein als auch die geläuterte Seele; eine Loslösung vom Irdischen bringen sie beide.

Ähnlich steht es mit dem Knopfmotiv. Wertmüllers Grundanliegen, der Wahrheit zum Sieg zu verhelfen, äussert sich mimisch darin, dass er seinen geistlichen Gästen jeweils die Knöpfe vom Rock abdreht, damit das Ursprüngliche und Echte in ihnen nicht völlig ersticke. Wertmüller weiss um Rosenstocks Spieltrieb, um seinen Hang zum Würfeln. Ein ganz besonderes Paar Knöpfe, das er testamentarisch Rosenstock vermacht hat, ist bezeichnenderweise "mit einer Glasscheibe versehen, worunter auf grünem Grunde je drei winzige Würfelchen liegen" (XI, 80). Solche Knöpfe, so erfährt Rosenstock durch den General, sind bei den Muselmanen während der Vorlesung des Korans beliebt. Mit ihrer Hilfe lassen sich zwei entgegengesetzte Beschäftigungen - eine spirituelle und eine triebhafte - gleichzeitig ausüben. Das Motiv ist deswegen ironisch, weil die Knöpfe die doppelte Eigenart besitzen, einerseits die Pfarrkleider zwar zuzuknöpfen, wie es sich gehört, und andererseits eben doch - durchsichtig wie sie sind - aufzuknöpfen, d.h. der Natur, hier dem natürlichen Spieltrieb eines geistlichen Herrn Raum zu gewähren.[19]

Auch im Odysseus-Motiv, einem der Zentralmotive der Novelle, kann man eine Verbindung der beiden stofflichen Ebenen beobachten. Sowohl S. Mews als auch Marianne Burkhard haben das dionysische Element in Wertmüllers Beschreibung des heimkehrenden Odysseus bemerkt.[20] Wertmüller spricht von den "purpurnen Tiefen" (XI, 89; meine Hervorhebung) seines Lieblingsgedichtes, eine Formulierung die an Wein und Rausch, also an Dionysos, erinnert. Auch zwischen Wertmüllers Darstellung des heimkehrenden Odysseus und der Rückkehr des Dionysos nach Theben besteht meines Erachtens eine Parallele: beide werden verleugnet, und die schuldig gewordenen Verleugner gehen zugrunde.

> Der Heimgekehrte war als ein fahrender Bettler an seinem eigenen Herde misshandelt. Wie? Die Freier reden sich ein, er kehre niemals wieder, und ahnen doch seine Gegenwart. Sie lachen und ihre Gesichter verzerrt schon der Todeskampf - das ist Poesie. - (XI, 89f.)

In seiner Dissertation über die Symbolik der Odyssee argumentiert Pfannenstiel, dass der heimkehrende Held der "Herr und Heiland" sei, "wenn er kommt zu richten Lebendige und Tote". Wertmüller nun wirft seinem Gast vor, er habe versucht, etwas Absurdes zu beweisen. Pfannenstiels These ist für Wertmüller ein Verstoss gegen die Daseinsberechtigung und Autonomie einer anderen, in diesem Fall vor-christlichen Kultur. Der Wert der Antike braucht für Wertmüller nicht durch das Christentum gerechtfertigt zu werden:

> ...Odysseus bedeutet jede in Knechtesgestalt misshandelte Wahrheit mitten unter den übermütigen Freiern,..., denen sie einst in sieghafter Gestalt das Herz durchbohren wird. (XI, 90; meine Hervorhebung)

Gleichzeitig zersetzt auch Wertmüllers Odysseusinterpretation die enge und an kirchliche Dogmatik gefesselte Christussymbolik Pfannenstiels. Der General bietet in weiterem Rahmen eine humanere Lösung an, in der beide Welten - die der "purpurnen Tiefen" und die des Jüngsten Tages - Raum finden. Wertmüllers Odysseussymbolik, die das Parochiale überspannt, weist schon auf den grossen ironischen Kompromiss hin, den Meyer seinen General am Ende der Novelle inszenieren lässt.

Auch in einigen Namen, besonders an denen des Brautpaares, lässt sich das Prinzip der Zweiheit erkennen. Die Braut ist Pfarrerstochter und zugleich Wertmüllers (Dionysos) Patenkind. Was Wunder, wenn der General sie einmal "ein schönes Kind" und dann auch "Nymphe" (XI, 112) nennt; letzterer Name ist bezeichnend, waren Nymphen doch öfters im Gefolge des Dionysos anzutreffen.[21] Der eigentliche Name der Braut, bei deren Taufe Wertmüller also Pate gestanden hatte, ist zwar alttestamentlich: Rahel; doch heisst es im Ersten Buch Mose von der so sehr geliebten: "Rahel...war schön von Gestalt und von Angesicht". Gewiss, Rahel legt ein resolutes Verhalten an den Tag, sie ist es auch, die in der Novelle die abgedrehten Knöpfe wieder annäht und damit gewissermassen das Werk des "Dionysos Lyäus" rückgängig macht; aber sie ist dennoch nicht die "bonne gouvernante", zu der Georges Brunet sie stempeln möchte:[22] Rahel hat einen roten Kirschenmund und füllt ihr Körbchen mit Bacchus Frucht, mit "reifen sonnegebräunten Goldtrauben" (XI, 118).

Was den Namen des Bräutigams angeht, so braucht man nicht so weit zu gehen wie Lee D. Jennings, der den unglückseligen Namen des Kandidaten - Pfannenstiel - als phallisches Symbol ausgelegt hat.[23] Wahrscheinlicher ist folgende Deutung: "Pfannenstiel" ist der Name eines Berges am Zürchersee, und durch diesen Namen wird eine Verbindung hergestellt zwischen dem jungen Geistlichen und dem Bereich der Natur, dem er anfangs durchaus entfremdet scheint.[24] Durch seinen väterlichen Namen wird der Vikar dem General "genetisch" näher gerückt; seine Bemerkung "Mein Vater war ein Pfannenstiel..." ist ironisch zweideutig: nicht nur Pfannenstiel, sondern auch der General hat eine engste Beziehung mit der Bergwelt, wird er doch in der Novelle verschiedentlich "Berggeist" - eine Naturgottheit also - genannt.

Funktion und Wesen der Einzelgestalten scheinen im Schuss von der Kanzel auseinanderzufallen. In ihrer Funktion sind die beiden jungen Leute angehender Pfarrer und baldige Pfarrersfrau: Einwohner des christlichen Mythikons; ihr Wesen jedoch ist ein Stück Natur: der Sohn eines Berges und eine Nymphe als Bewohner einer nicht-christlichen, will sagen einer mythischen, urmenschlichen Welt. Auf der symbolischen Ebene verkünden sie mit ihrer Verlobung, dass man Bürger beider Welten sein soll.[25]

Die ironische Synthese der stofflichen Ebenen

Im Schuss von der Kanzel hat sich Meyer im Wesentlichen um eine Synthese, um einen ironischen Ausgleich zwischen zwei grundverschiedenen Lebenshaltungen gemüht: die im Dionysischen, beziehungsweise im Christlichen beheimatete. Es sind zwei Lebenshaltungen, die Friedrich Nietzsche einige Jahre vor dem Erscheinen der Novelle als vollkommen unvereinbar gegeneinander ausgespielt hatte, in seiner Abhandlung nämlich über Die Geburt der Tragödie (1871). Bis heute ist sich die Literaturwissenschaft nicht einig, wie weit C. F. Meyer mit Nietzsches Werk vertraut war, wie weit er sich damit ernsthaft auseinandersetzte. Dass ihm jedoch zumindest die Hauptargumente der Geburt der Tragödie bekannt waren, darf man annehmen.[26]

Nietzsche hatte in der Geburt der Tragödie die rhetorische Frage gestellt, ob das Dionysische überhaupt bestehen dürfe, ob es nicht mit Gewalt aus dem hellenischen Boden auszurotten sei und antwortete dann mit Euripides: "Gewiss,...wenn es nur möglich wäre: aber der Gott Dionysos ist zu mächtig: der verständigste Gegner - wie Pentheus in den 'Bacchen' - wird unvermutet von ihm verzaubert und läuft nachher mit dieser Verzauberung in sein Verhängnis".[27] Leicht abgewandelt passen diese Worte auch auf den Schuss von der Kanzel; auch da ist das Dionysische nicht aus dem helvetischen Boden auszurotten. Pfannenstiel wird verzaubert, nur dass er eben nicht in sein Verhängnis, sondern - der komischen Neuinszenierung des mythologischen Stoffes entsprechend - in sein "Glück"[28] läuft.

Durch das Dionysische, so meinte Nietzsche, werde der Sklave freier Mann, es "zerbrechen alle die starren feindseligen Abgrenzungen, die Not, Willkür oder 'freche Mode' zwischen den Menschen festgesetzt haben".[29] Entsprechend widersetzt sich auch Wertmüller der "Welt des Zwanges und der Maske" (XI, 96) und glaubt nicht an die Abgrenzungen rassischer, ständischer und konfessioneller Art.

Mit dem Dionysischen wollte Nietzsche sich eine grundsätzliche Gegenlehre zum Christentum schaffen. Die christliche Lehre war seiner Meinung nach geprägt vom Hass auf die Welt, dem Fluch auf die Affekte, der Furcht vor der Schönheit und Sinnlichkeit des Lebens.[30] Hierin unterscheidet Meyer sich wesentlich von Nietzsche: Er erkennt und gestaltet zwar im Schuss von der Kanzel die Diskrepanz zwischen Dionysischem und Christlichem, zwischen der sinnenfreudigen Sphäre Wertmüllers und dem kirchlichen Mythikon; Wertmüller, der hier den Teufelsadvokaten spielt, empfiehlt dem Kandidaten, Rahel zu entführen, worauf Pfannenstiel empört einwendet:

> "Sie ist eine Christin!" rief der erhitzte Kandidat. "Sie wird und muss wollen! Jede Figur wird von der männlichen Elementarkraft bezwungen..."
> "Sie wird nicht wollen - nimmermehr!" wiederholt Pfannen-

stiel mechanisch. (XI, 104f.)

Damit will Pfannenstiel ausdrücken, dass gerade der christliche Glaube und die christliche Erziehung Rahel davon abhalten werden, sich hemmungslos hinzugeben. Erst das Christliche, so deutet Meyer im Schuss von der Kanzel an, vermag die dionysische Elementarkraft einzudämmen. In betontem Gegensatz zu Nietzsche glaubt Meyer, von dieser Novelle her zu schliessen, letztlich an die mögliche und notwendige Koexistenz dieser beiden Bereiche.

Die Lese in dieser "bacchischen Landschaft", so erfahren wir erst ganz am Ende der Novelle, war in jenem Herbst nur "mittelmässig" (XI, 124), d.h. gemässigt, nicht exzessiv gewesen. In dieselbe Richtung deutet Rahels Vorstellung vom idealen Leben an der Seite eines Gatten, der sowohl nur "schluckweise" den Zehntwein trinkt als auch nur "zuweilen" gebildeten Umgang mit seinen geistlichen Kollegen pflegt (XI, 120). Dem entspricht besonders auch die Symbolik in der Szenerie der Verlobung: Rahel und Pfannenstiel müssen auf Geheiss des Generals "Arkadiens Lauben" (XI, 128) verlassen, bleiben aber vor der pfarrherrlichen Stube stehen, bezeichnenderweise auf einem kleinen, von Edelobstbäumen umzogenen Rondell. Diese geschnittenen und gepfropften Bäume sind als Produkt der Veredlung botanisches Symbol für das homogene Verwachsen zweier ursprünglich entgegengesetzter Traditionen: Arkadien und Pfarrhaus, Mythisches und Mythikon. Auf halbem Weg zwischen diesen beiden Polen findet die Verlobung statt, und die beiden Liebenden stehen somit in einer apollinischen, einer ironischen Welt.[31]

Hierin liegt der besondere Sinn des Zusammenspiels der stofflichen Ebenen, die besondere Funktion der strukturellen Ironie im Schuss von der Kanzel: Mit Hilfe der Doppelung der stofflichen Ebenen bringt Meyer sein eigentliches Anliegen aufs Kunstvollste zum Ausdruck: Natur und Zivilisation gehen eine harmonische Verbindung ein; der hellenische Mythos und das helvetische Mythikon bestehen nebeneinander. Und so kommt denn auch Meyers eigene Bemerkung zu dieser Novelle, dass nämlich der "Zusammenhang des kleinen Lebens mit dem Leben und Ringen der Menschheit"[32] im Schuss von der Kanzel fehle, einem ironischen understatement gleich, ist doch der Boden von Mythikon zugleich mythischer Boden, auf dem sich zeitlos Menschliches abspielt.

2. Rahmen und Figuren-Konstellation: Der Heilige

Die Ironie in Meyers Novelle Der Heilige ist in der Fachliteratur öfters analysiert worden.[1] In den verschiedenen Hinweisen oder auch ausführlicheren Interpretationen geht es jedoch meistens um die inhaltliche Ironie der Novelle, kaum je um Ironie als Kunstmittel. Lediglich Walter Hof ist der Ansicht, dass die existenziell verankerte Zweideutigkeit des Heiligen mit Hilfe funktionaler Zweideutigkeit zum Ausdruck gebracht werde, vor allem auch durch die Rahmenkonstruktion, die der Novelle eine "zweideutige, weitgehend ironische Form"[2] gebe.

Die Struktur der Novelle ist auf eine sich immer feiner verästelnde Zweiheit angelegt. Einige Beispiele: Einzelne Formulierungen werden von diesem Prinzip der Zweiheit frappierend erfasst; die Rahmenkonstruktion teilt die Novelle in zwei Erzählstränge; in jedem dieser Erzählstränge ziehen zwei Hauptgestalten die Aufmerksamkeit des Lesers auf sich; wie später zu zeigen gilt, wird auch die Gestaltung der einzelnen Figuren von Ambiguität bestimmt; schliesslich erfahren gewisse Motive und Themen ebenfalls zweifache Behandlung. - Hauptaufgabe in diesen Bemerkungen zum Heiligen wird sein, dem spezifisch Ironischen der Rahmenkonstruktion - worauf Hof schon hingedeutet hatte, ohne aber auf Einzelheiten besonders einzugehen - auf den Grund zu kommen. Vorerst sollen jedoch drei Kernstellen der Novelle näher untersucht werden, in denen stilistisch und gehaltlich in knappster Form das eben erwähnte Prinzip der Zweideutigkeit exemplarisch zum Ausdruck gelangt; gleichzeitig kann hier gezeigt werden, dass diese Zweiheit immer zu Zwei- oder gar Vieldeutigkeit führt: es handelt sich also um ironische Kernstellen.

Ironische Kernstellen

Zwei Kernstellen möchte ich zusammen betrachten. Sie stammen aus dem Rahmen beziehungsweise aus der Binnenerzählung, einmal von Armbruster und einmal von Becket. Gerade durch die Tatsache, dass Zweideutigkeit in beiden Erzählsträngen auftritt, dass sie nicht nur das "Revier" Beckets sondern eben auch Armbrusters ist, kommt ihr die Bedeutung eines Werkprinzips zu, womit sie über das Idiosynkratische der Einzelperson hinausgeht.

Vorerst der Wortlaut der beiden Textstellen: Armbruster beteuert dem Chorherrn, dass er den Heiligen persönlich kannte:

> "...ich habe ihn gekannt, so gut als ich Euch kenne, Herr Burkhard." (XIII, 14)

An anderer Stelle, im Zusammenhang mit dem Hexenprozess soll Becket sich mit den folgenden Worten an den Bogner gewendet haben:

> "Die Mary ist eine Hexe, wie ich ein Heiliger!" (XIII, 39)

Diese beiden Aussagen sind einander formal sehr ähnlich: Beide stellen einen Vergleich her; beide gliedern sich in einen Haupt- und Nebensatz von ungefähr gleicher Länge und gleichem Gewicht: im ersten Beispiel geschieht dies durch Wiederholung von Wortmaterial ("gekannt" - "kenne"), im zweiten durch eine (ironische) Alliteration zweier sich im Grunde genommen ausschliessender Begriffe ("Hexe" - "Heiliger"). - Ferner enthalten beide Hauptsätze eine eindeutige Aussage:

> "ich habe ihn gekannt"
>
> "die Mary ist eine Hexe"

Die qualifizierenden und nuancierenden Nebensätze scheinen die Bedeutung des Hauptsatzes eindeutig zu umreissen, aber nur insofern die Aussage im Nebensatz stimmt und zuverlässig ist. Denn: <u>Wie</u> gut kennt Armbruster den Chorherrn? Und: <u>Ist</u> der Kanzler denn ein Heiliger? Armbruster lebt nicht in derselben Stadt wie sein Gastgeber; er kennt ihn bloss, weil er von einem jagdlustigen Stiftsbruder des alten Chorherrn Aufträge entgegengenommen hat; Burkhard ist also eine Gelegenheitsbekanntschaft, die dem Bogner zwar ermöglicht, einen Eindruck vom Chorherrn zu haben, ohne diesen jedoch in seinem Innersten zu kennen. Die eindeutige Aussagekraft des Hauptsatzes, der einen doch zunächst annehmen liess, dass Armbruster den Heiligen gut kenne, verflüchtigt sich in ihrer Abhängigkeit vom Nebensatz; in Wahrheit, wie der Nebensatz belehrt, kennt er Becket nur mit Vorbehalt. Damit verliert Armbruster als Erzähler also ganz beträchtlich an Glaubwürdigkeit, die er im Grunde beteuern wollte. Die Aussage, dass die schwarze Mary eine Hexe sei, wird durch Becket im Nebensatz zurückgenommen, denn zur Zeit des Hexenprozesses ist Becket noch des Königs Kanzler, Staatsmann also und nicht Heiliger; dementsprechend ist auch Mary, entgegen der Behauptung, die im Hauptsatz aufgestellt wird, keine Hexe. Es ist insofern eine ironische Aussage, als durch die Stilmittel - Antithetik (Wort<u>bedeutung</u>) einerseits und die Alliteration (Wort<u>laut</u>) andererseits - ein Schwebezustand der Inhalte entsteht. Die Ironie dieses zweiten Beispiels wird noch um eine Dimension erweitert, indem der Nebensatz, der zwar im Augenblick der Aussage nicht der Wahrheit entspricht - Becket ist Politiker nicht Märtyrer -, Präfiguration des Künftigen ist: Becket wird Heiliger werden. Diesen letzteren ironischen Bezug soll der Leser selber herstellen und sich zugleich auch weiterfragen: Wenn Becket zwar im Augenblick kein Heiliger und die Mary keine Hexe ist, wenn Becket jedoch später Heiliger wird, könnte dann Mary eben doch eine Hexe werden? Die Antwort lautet: sie ist potenziell eine Hexe, so wie Becket potenziell ein Heiliger ist: indem jedoch Beckets Heiligkeit den Rahmen der mittelalterlichen Konvention sprengt, erfährt auch der Begriff des Hexentums (durch den "Heiligen") eine ganz neue, psychologische Wertung: "Hexen" sind misshandelte und verstossene Frauen, die dem sozialen Hass, der sie trifft, standzuhalten versuchen und schliesslich doch darunter zusammenbrechen (XIII, 40).

Beide Stellen, die des Armbrusters und die des Kanzlers, sind in doppelter Weise beispielhaft für das Prinzip der Zweideutigkeit und darüber hinaus für Meyers ironisches Werkprinzip in der Novelle: (a) der Hauptsatz ist in ironischer Umkehrung vom Nebensatz abhängig; und (b) beide Formulierungen brechen der eindeutigen, der extremen Aussage die Spitze ab. Die Eindeutigkeit der ersten Aussage wird jedesmal durch die Hinzugabe der zweiten Aussage angefochten. Beide Kernstellen verunsichern und ironisieren Eindimensionalität und sind indirekter Ausdruck von Meyers Skepsis gegenüber absoluten Werten.

Die dritte ironisch konstruierte Kernstelle ist die schockierende Formulierung Armbrusters, die den Ausdruck des sterbenden Becket am Anfang der Novelle beschreibt; das "heilige Hohnlächeln" (XIII, 14). Wie in den beiden vorangegangenen Beispielen drückt sich hier unverkennbar aus, dass das für den Heiligen so bezeichnende Strukturprinzip der Zweiheit immer auch Zweideutigkeit und Ironie bedeutet. Zwei sich ausschliessende Begriffe - Heiligkeit und Hohn - werden durch die sprachliche Fügung des Oxymorons so zueinander in Beziehung gebracht, dass sie sich aneinander reiben - die ironische Alliteration! - und sich gegenseitig relativieren: die Heiligkeit wird durch den Hohn angezweifelt, der Hohn durch die Heiligkeit gemildert. Heiligkeit und Hohn vermischen sich nicht nur in einem zweideutigen Lächeln sondern auch in der aufs "Helldunkel",[3] aufs Ironische angelegten Sprache.

Das Ironische der Rahmenkonstruktion

Es geht im Folgenden darum zu ermitteln, ob das aus den drei Kernstellen abgeleitete Prinzip der Zweiheit und das ironische Werkprinzip auch die einzelnen Aspekte der Rahmenkonstruktion dieser Novelle erfasst. Sicherlich gehört Zweiheit zum Wesen der Rahmenkonstruktion an sich, und wie schon angedeutet wurde, handelt es sich zudem um eine sich immer feiner verästelnde Zweiheit. Abgesehen von der doppelten Figurenkonstellation in den beiden Erzählsträngen, abgesehen auch von der Ambiguität der Einzelgestalten, zerfallen auch die Erzählstränge in je zwei Teile, die sich dann noch weiter unterteilen lassen. So spricht Sjaak Onderdelinden gar von einem zweiten Rahmen, "in dem Hans seinen Lebensweg nach England schildert und noch die Hauptperson seiner eigenen Lebenserinnerungen ist".[4] Wenn man diese Beobachtung Onderdelindens etwas weiter führt, dann lässt sich auch eine Art zweiter Binnengeschichte entdecken, sorgfältig in diesen zweiten Rahmen, in Armbrusters "Lebenslauf" eingebettet: den Ursprung und Lebensweg Beckets bis zu seiner Rückkehr nach England, wie sie im "Märchen vom Prinzen Mondschein" und in der Ballade von "Young Beichan" dargestellt werden. Man könnte die Vielschichtigkeit des Handlungsverlaufs in beiden Erzählsträngen weiterverfolgen; dringender ist jedoch die Frage, was das kontinuierliche Prinzip der Zweiheit und damit die Vielschichtigkeit der Novelle mit Ironie zu tun haben und welche Aufgabe der funktionalen Ironie schliesslich zufällt.

In der Literaturkritik wird _Der Heilige_ als spezifische Rahmenerzählung mehrfach behandelt, ohne dass dabei die enge Beziehung zwischen Rahmentechnik und Ironie im Einzelnen herausgearbeitet wurde. In einem wertvollen Beitrag zur Epik C. F. Meyers hat Hans Jeziorkowski gezeigt, dass der Binnenerzähler als ein Mitbeteiligter am erzählten Geschehen nur bedingte Einsicht in den wahren Sachverhalt hat, dass seine Position zur Perspektive eingeengt wird und sich weitere Perspektiven (wie etwa die des Chorherrn) zur Darstellung hinzugesellen. "Die gesamte Erzählung bleibt ein Gespinst aus Erinnerungen, Subjektivitäten und Perspektiven", und Jeziorkowski gelangt zum Schluss, "dass...in der _Summe_ dieser subjektiv bedingten und begrenzten Perspektiven der Einzelpersonen und -standorte die an Meyer so oft konstatierte _Objektivität_ liegt".[5] - Im selben Jahr hat auch Uwe Böker sich mit der Erzählhaltung im _Heiligen_ beschäftigt und ist zu ähnlichem Ergebnis gekommen, dass nämlich "Meyer mit der Technik der

Rahmenerzählung seiner Auffassung von der notwendigen Objektivität des Epikers Nachdruck verliehen" habe: "Objektivität meint hier: das Bewusstsein, dass die Welt nicht anders als subjektiv erlebt und dargestellt werden kann".[6] Auch Meyer selber hatte in einem Brief an Rodenberg auf "die gänzlich objektive...Behandlung" des Heiligen hingewiesen.[7]

Tatsächlich entsteht durch die Summe des Subjektiven, d.h. der diversen in der Novelle dargestellten Perspektiven, der Eindruck der für Meyers Werke so bezeichnenden Objektivität. Weder Jeziorkowski noch Böker ging es um die Ironie in Meyers Epik; im Rahmen der hier gestellten Aufgabe jedoch muss der von den beiden Kritikern erarbeitete Objektivitätsbegriff als Summe der dargestellten Perspektiven weiter nuanciert werden: Meyers Objektivität - so zunächst als Behauptung aufgestellt - ist ironische Objektivität. Greifen wir nochmals auf das aus den ironischen Kernstellen abgeleitete Werkprinzip zurück: Gegensätzliches tritt zueinander in Beziehung und reibt sich aneinander: Heiliges und Profanes sind nicht getrennt und geradlinig dargestellt, sondern die beiden Bereiche werden durch Oxymoron und Alliteration gekoppelt und in ein Spannungsverhältnis zueinander gebracht; festgestellt wurde ferner, dass scheinbar Nebensächliches - der Inhalt eines untergeordneten Satzes - ganz entscheidend auf Hauptsächliches einwirkt: das angeblich Gewichtigere bedarf der Richtigstellung durch das weniger Gewichtige, und dadurch entsteht, was die Aussagekraft des Hauptsatzes einerseits und des Nebensatzes andererseits anbelangt, ein ironisches Ausgleichen. Ganz ähnlich verhält es sich meiner Auffassung nach auch mit der Rahmenkonstruktion der Novelle: die in ihr dargestellten Perspektiven laufen nicht einfach geradlinig nebeneinander her; sie treten zueinander in Beziehung, sie reiben sich, sie überkreuzen sich. Die Perspektiven lassen sich daher nicht einfach zur Summe der Objektivität addieren. Vielmehr sehen wir uns vor eine höchst komplexe, geradezu mathematische "Gleichung" der Perspektiven gestellt, deren Resultat die ironische Objektivität ist. In drei Ansätzen soll diese Behauptung auf ihre Gültigkeit untersucht werden: (i) von einem weltanschaulichen Problem her, das sowohl im Rahmen als auch in der Binnengeschichte aufgegriffen wird; (ii) durch eine Untersuchung der Diskussion um die richtige Weise des Berichtens; und (iii) mittels eines Vergleichs der Personenkonfiguration in Rahmen- und Innenvorgang.

i. Perspektiven zum Problem "Ungläubige" und "Ketzer"

Der Rahmen, so erklärte Meyer in einem Brief, diene unter anderem der "(e)nergische(n) Angabe des Kostüms".[8] Dieses mittelalterliche Kostüm ist jedoch keineswegs auf den Rahmen beschränkt, das Hauptgeschehen selbst ist vielmehr ein Kapitel mittelalterlicher Geschichte; zudem schrieb Meyer an Rodenberg, es sei seine Absicht gewesen, im Heiligen das Mittelalter "so fein und gründlich zu verspotten",[9] eine Bemerkung, die sich offensichtlich nicht nur auf den Rahmen sondern auf die gesamte Novelle bezieht. Da im Heiligen die auktoriale Stimme weggefallen ist, tritt die Ironisierung des Mittelalters vor allem dann klar zu Tage, wenn man die diversen, das dogmatische Mittelalter entweder vertretenden oder kritisierenden Standpunkte im Rahmen und in der Binnenerzählung gegeneinander hält. Besonders aufschlussreich sind hier die verschiedenen Stellungnahmen zu dem Problem "Ungläubige und Ketzer", wie sie von den Hauptfiguren im Rahmen und in der Binnenhandlung vertreten werden. - Armbruster erzählt seinem Gastgeber, dass die heidnischen Bogner den christlichen weit überlegen seien und fügt dann erklärend bei: "...Gott hat den Heiden viele Kunst und Wissenschaft gegeben,..., um ihnen, wie ich meine, vor dem ewigen Tode einen kurzen Stolz zu gönnen." Der Chorherr nickte "billigend zu diesem weisen Worte" (XIII, 22).

Armbrusters Bemerkung über den ewigen Tod der Heiden ist nur für den ein weises Wort, der wie Burkhard und seine Zeit davon überzeugt ist, dass das Christentum der alleinseligmachende Glaube ist. Wie ja schon zum Beispiel bei der Besprechung des Amuletts deutlich wurde, steht Meyer solch eindeutiger Stellungnahme kritisch gegenüber. Die Frage, inwieweit auch Armbruster von Meyer ironisiert wird, ist schwerer zu beantworten. Hans berichtet, dass er in seiner Jugend nach Granada gezogen sei, weil dort die Bogenkunst am besten entwickelt gewesen war. Burkhard unterbricht ihn mit der bangen Frage:

> "Und du bist unbeschnitten an Leib und Glauben wieder zurückgekehrt, armer Hans?" (XIII, 21; meine Hervorhebung)

Sogleich versichert Armbruster, dass ihm bei den Heiden nichts Schlimmes zugestossen sei und setzt dann hinzu, dass er "mit einem weit klügeren Kopfe auf den Schultern" von den Heiden zurückgekehrt sei, als er "ihn hingetragen hatte". Diese Bemerkung hebt sich in ihrer freimütigen Toleranz wesentlich von der engen Sicht des Chorherrn ab: Für ihn bestimmt die ihm zentrale Glaubensfrage alle anderen Werturteile; Hans hingegen ist gelassener und vermag deshalb auch die zivilisatorischen Errungenschaften der Sarazenen zu schätzen und sich zu Gute kommen zu lassen. So mag denn in Armbrusters Bemerkung über den ewigen Tod eine leichte ironische Konzession an Burkhard, seinen geistlichen Zuhörer mitschwingen. Walter Hof meint hierzu vorsichtig:

> ...Meyer vervielfacht...die ironische Brechung, wenn er es manchmal als möglich erscheinen lässt, dass der Armbruster noch klüger, noch weniger einfach ist, als er sich gibt, dass er sich selbst dem Chorherrn gegenüber, dem er ja erzählt, "christlicher" gibt, als er in der Tat ist.[10] (Meine Hervorhebung)

Zumindest ironisiert Meyer die traditionell mittelalterliche Überzeugung, den Ungläubigen stehe der ewige Tod bevor. Es gibt nun in der Binnenerzählung eine bis in den Wortlaut ähnliche Stelle, wo zwischen König und Kanzler über die zum Feuertod verurteilte schwarze Mary verhandelt wird (XIII, 39). Ein geistliches Gericht hat die Hexe "zum zeitlichen Feuer begnadigt" (schon die paradoxe Formulierung verrät Meyers ironische Haltung), um sie vor "dem ewigen Brande" zu retten. Heinrich, "das christliche Gewissen von Engelland", besteht auf der Hinrichtung der schwarzen Mary, worauf Becket entgegnet: "Was vermag ich gegen die hohe Weisheit des Jahrhunderts, welche, o Herr, die deinige ist!" und dann das Todesurteil unterschreibt. Im Gegensatz zu Herrn Burkhard, der den "weisen Worten" Armbrusters allen Ernstes beistimmt, sind Beckets Worte von ihm selber (nicht erst vom Dichter) hochironisch gemeint: Beckets Beteuerung von seinem Unvermögen gegenüber der königlichen "Weisheit" und somit des Jahrhunderts ist fingiert, denn er rettet die schwarze Mary nicht nur vor dem Tode sondern nutzt den mittelalterlichen Aberglauben des Königs als Tarnung seiner eigenwilligen Tat: der leere Kerker sei eben Blendwerk, so gut wie alles frühere. - Die geglückte Rettung der schwarzen Mary ist eine Ausnahme, welche den Flammentod, den üblichen Ausgang der Hexenprozesse nur bestätigt: die Zeit ist nicht reif für die aufgeklärten und humanen Lösungen des Kanzlers. Denn als "der züchtige Herr Burkhard" später auf die Ketzerbewegungen in den Pyrenäen zu sprechen kommt, empfiehlt er in diesem Fall das Massaker:

> "...ich könnte es wahrlich geistlichen und weltlichen Herren nicht verargen, wenn sie sich zusammentäten, um diese Verstockten aus dem Mittel der Christenheit zu heben, dass ihre Stätte sie nicht länger kenne." (XIII, 112f.)

Die Befreiung der schwarzen Mary, einer ähnlichen "Verstockten", und ihr anschliessend "stilles und eingezogenes Leben" (XIII, 40), wovon Hans dem Chorherrn doch berichtet hatte, bleibt Einzelfall;

die Möglichkeit der humanen Lösung, wie sie von Becket gefunden und dem Chorherrn mitgeteilt wurde, hat nicht einmal auf diesen abgefärbt, geschweige denn auf die nächste Generation: dass die "Manichäer" im Süden Frankreichs einige Jahre später (1209) aufs grausamste verfolgt und ausgerottet wurden, daran hatte der mit der Weltgeschichte so vertraute Meyer hier sicherlich gedacht, als er Burkhard den Gedanken einer totalen Vernichtung aussprechen liess.

Im Rahmen wie in der Binnenerzählung hat Meyer also die Frage aufgeworfen, wie der mittelalterliche Christ sich Ungläubigen und Ketzern gegenüber verhalten konnte. Rahmen- und Binnenerzählung bieten jeweils zwei diametral entgegengesetzte Alternativen: die des Glaubensfesten und Dogmatikers (König, Burkhard), und die "moderne" aufgeklärte Toleranz des "neuen Menschen" (Armbruster, Becket). Diese beiden Perspektiven laufen nicht einfach nebeneinander her; sie stellen sich vielmehr gegenseitig in Frage: einerseits werden durch das Gegenbeispiel von Beckets heimlicher humanitärer Lösung die mittelalterlichen, stets im Namen Gottes vollzogenen Ketzerverfolgungen als brutale Ausrottung der Andersgesinnten blossgestellt; andererseits jedoch wird die universale Wirksamkeit einer toleranten Stellungnahme, wie Becket sie verkörpert, dadurch angezweifelt, dass sie in der Novelle als Ausnahmefall dargestellt wird; denn so edel Beckets Verfahren mit der schwarzen Mary auch ist, es bleibt geheim und kommt zu früh, kann daher in der Wirklichkeit, d.h. für die mittelalterliche Welt der Novelle, nicht massgebend sein.[11]

ii. Angemessenes Berichten und Erzählen

Das Thema vom angemessenen Berichten und Erzählen wird ebenfalls sowohl im Rahmen als auch in der Binnenerzählung angeschnitten, und wiederum treten die diversen Standpunkte in ironische Beziehung zueinander. Die Bemerkung Armbrusters, dass es "beim Urteilen wie beim Schiessen lediglich auf den Standpunkt" ankommt (XIII, 24), lässt sich auch auf die Kunst des Erzählens übertragen; wie und was berichtet wird, ist eine Frage des Standpunktes, der persönlichen Wahl und Auswahl.

Mit seinem Zug zur Pedanterie unterbricht Herr Burkhard Armbrusters Erzählung immer wieder. Er bemängelt die Erzählmethode seines Gastes; sie ist ihm nicht sachlich genug, und er kann ihr deswegen nicht recht trauen. Dem hatte der Bogner vorzubeugen gesucht, als er noch vor Beginn der Erzählung klar zwischen Herrn Burkhards und seinem eigenen Wissen zu unterscheiden trachtete:

> Ihr mögt leichtlich besser Bescheid wissen, Herr Burkhard, in dem was meines Herrn Königs Fürstenhändel und Taten im Weltlauf betrifft; was aber den Wandel und die Natur seiner Person angeht - und des Thomas Becket Menschenantlitz auch...so habe ich wahrlich...nicht geprahlt, als ich berühmte, sie zu kennen. (XIII, 15)

Deutlich trennt Armbruster also zwischen "äusserer" Geschichte, d.h. Politik einerseits und "innerer" Geschichte, d.h. Psychologie andererseits. Aus einer späteren Formulierung Armbrusters geht hervor, dass "äussere" Geschichte und "innere" Geschichte je durch eine ihnen spezifisch angemessene Erzähltechnik gekennzeichnet sind:

> Beide haben Recht und Unrecht, Eure Chronik und mein Gedächtnis, jene mit ihren auf Pergament gezeichneten Buchstaben, ich mit den Zeichen, die in mein Herz gegraben sind. (XIII, 106)

Die Chronik also: nüchtern und neutral; des Armbrusters Erinnerungen: engagiert und befangen. Bei der Meinungsverschiedenheit zwischen Chorherrn und Armbruster geht es vor allem um die Frage, welche der beiden Medien - Chronik oder persönlich Erlebtes - der Wahrheit näher komme. Laut Armbruster wenigstens ist in dieser Hinsicht zwischen ihnen nicht zu unterscheiden, denn "beide haben Recht und Unrecht" und kommen also nur bedingt an die Wahrheit einer Sache heran. Meyer selber hatte die Tatsache, dass das Verfahren des Chronisten einem Sachverhalt nicht voll gerecht werden kann, verlockt, die Geschichte des Thomas Becket, wie er sie in den historischen Werken vorfand, in Dichtung umzusetzen; eine Gestalt wie Becket sei ihm willkommen gewesen, weil "die Motive in der Geschichte nicht klar gelegt sind und der Dichter Freiheit hat, Lücken auszufüllen".[12] Armbruster muss den Chorherrn immer wieder daran erinnern, dass es eben verschiedene Formen des Berichtens gibt; darin drückt sich auch ein besonderes Anliegen des Dichters aus, nämlich festzuhalten, dass Wahrheit und Ordnung des Berichtens relative Begriffe sind. So ist zum Beispiel der Erzählverlauf des Bogners anfangs vorwiegend assoziativ: Jugendgeschichte, Reise nach Spanien, Märchen vom Prinzen Mondschein, "Young Beichan", die Geschichte von Beckets Eltern. Hans greift voraus, greift zurück, streut Lyrik, Legendenstoff und orientalisches Märchen ein. Der Chorherr jedoch, mit seinem Sinn für Geradlinigkeit, ist ein ungeduldiger Zuhörer, was Armbruster denn auch veranlasst, Kurs zu wechseln, d.h. streng chronologisch weiterzuerzählen:

> Ich will nun ganz nach der Ordnung, wie es Euch bequem ist, Herr, erzählen.... (XIII, 26)

Implizit wird damit ausgedrückt, dass es auch eine andere Erzählordnung gibt, dass Burkhards Ordnung nicht die einzige erzählerische Ordnung ist, sondern lediglich diejenige Ordnung, die eben ihm persönlich "bequem", d.h. gelegen ist. - Beide Erzählweisen, also auch Burkhards Vorliebe für erzählerische Geradlinigkeit, werden damit in ihrer Berechtigung relativiert, und dass der Bogner seine Erzählweise zu ändern verspricht, ist nichts weiter als eine Konzession an den Geschmack seines Gastgebers.[13] Trotz dieser neuen "Ordnung", die beizubehalten er bestrebt ist, wird Armbruster durch die phantasievolle und bewegte Erzählweise, die ihm nun einmal eigen ist, die Kritik des Chorherrn immer wieder provozieren. So stichelt der Chorherr zum Beispiel gegen die strömende Rede des Bogners, erhebt Einspruch gegen die lyrische Einlage ("Young Beichan", XIII, 25) und ermahnt ihn einmal, dass er "das geflügelte Rösslein der Fabel nicht schlechter" reite als "der Märchenerzähler in Cordova" (XIII, 26). Ironischerweise ist gerade das Märchen vom Prinzen Mondschein Beckets Vorgeschichte (vom Volk als Märchen dargestellt) und zugleich Präfiguration des Kommenden: sowohl der Prinz als auch Becket wenden sich von ihrem König ab, und mit ihnen haben "Glück und Macht dem König auf immer den Rücken gewandt" (XIII, 23). Wäre Herr Burkhard dem Genre des Märchens nicht so abhold, dann könnte er die Anspielungen auf Becket, für den er sich doch so lebhaft interessiert, in der "Fabel" heraushören. So aber verwirft er die Bedeutung des Märchens und seine Möglichkeit, selbst als Fiktion Wahrheit zu enthalten, auf summarische Art und Weise. Was wir schon in der Glaubensfrage konstatiert hatten, lässt sich hier erneut nachweisen: Hans ist toleranter als sein Gastgeber; denn trotz Vorbehalten liest der Bogner immerhin in den Chroniken seiner Zeit (XIII, 137). - Burkhard bezweifelt den Wahrheitsgehalt in Armbrusters Erzählung, weil er auch den Verdacht hegt, dass Hans manches frei erfindet; er wirft dem Bogner zum Beispiel vor: "Das kommt aus deinem Eigenen!" (XIII, 82) und dieser gibt zu, es sei nicht unmöglich, dass "etwas von dem Meinigen beifloss", betont dann aber sofort ausdrücklich: "...ich rede die Wahrheit und lüge nicht" (XIII, 83). Subjektivität und Wahrheit brauchen einander also nicht - wie der Chorherr meint - auszuschliessen. Eine Geschichte kann ohnehin niemals ganz objektiv vorgetragen werden, ihrer Vergegenwärtigung ist vielmehr immer etwas vom Bewusstsein des Erzählers beigemischt. Besonders deutlich geht das aus der Gegenüberstellung zweier Chroniken hervor, welche die Geisselung des Königs verschieden begründen. Armbruster berichtet:

> "Und doch hat sich Herr Heinrich vor der Gruft seines Getöteten gegeisselt und ihn aufrichtig angebetet, wie es in der Chronik verzeichnet steht."

Herr Burkhard hingegen:

> "Nach der glaubwürdigen Aussage meiner Chronik", bemerkte der Chorherr bedenklich, "hat sich dein König am Grabe des heiligen Thomas zu Canterbury gegeisselt, aber nicht ohne kluge und weltliche Absichten;..." (XIII, 137)

Die sich widersprechenden Motivationen sind beide glaubwürdig, nicht nur die des Chorherrn; welche von den beiden nun aber die glaubwürdigere sei, das lässt Meyer offen.

Auch in der Binnenerzählung wird die Diskussion über verschiedene Weisen des Berichtens weitergeführt, wenn auch indirekt. Am deutlichsten tritt das Problem der objektiven und wahrheitsgetreuen "Reportage" in jener Episode zu Tage, wo dasselbe Ereignis - der Einzug des Primas in Canterbury - gleich zweimal nacheinander vorgetragen wird, einmal vom cholerischen Bischof von York und dann von seinem Kleriker (XIII, 124f.). So berichtet der Bischof:

> "...Und wie ist der Sohn der Bosheit nach Canterbury gekommen?... Als ein Triumphator mit Ross und Wagen und einem langen sächsischen Heerzuge!..." (XIII, 124)

Von der Oberfläche her betrachtet ist die Behauptung des Bischofs natürlich eine grobe Verfälschung der Tatsachen und ist seiner Eifersucht auf Becket zuzuschreiben. Er beruft sich zwar auf Augenzeugen (XIII, 125), aber die Zuverlässigkeit seiner Informationsquellen ist fragwürdig, umso mehr da der Bischof verschweigt, welchem Lager sie entstammen. Und dennoch, so übertrieben und feindselig die Worte des Bischofs wirken, es steckt ein Körnchen Wahrheit in ihnen: Triumphiert denn der demütige Thomas nicht über den König, und sind denn die angelsächsischen Bettler nicht eine Macht, mit der die Normannen bisher nicht zu rechnen hatten?[14]

Der "verständige", "ruhige" Kleriker greift korrigierend und nuancierend in die Rede seines Vorgesetzten ein; sein gemässigter Vortrag scheint sich deutlich von der verzerrten Darstellung des zornroten Bischofs zu unterscheiden. Armbruster berichtet:

> Hier gelang es dem verständigen Kleriker seine Stimme hörbar zu machen.
>
> Dem sei nicht so, wandte er ein, auf einer frommen Eselin sei der Primas eingeritten; wahr sei aber, dass das Volk Gewand vor ihm ausgebreitet und, was Grünes in dieser Winterzeit vorhanden, auf seinen Weg gestreut habe. Der Verbannte

> sei als ein müder Mann nach Canterbury zurückgekehrt und habe sein erzbischöfliches Haus, ja sein Gemach seither nicht wieder verlassen...
>
> Das sei die nüchterne Wahrheit. Ein ihm verpflichteter Hausgenosse des Primas habe sie ihm getreulich erzählt. (XIII, 124f.)

Der Wechsel von der direkten Rede des cholerischen Bischofs zur indirekten Rede des Klerikers - und somit vom Indikativ zum Konjunktiv - scheint das Neutrale des zweiten Berichts zu unterstützen. Allerdings lässt sich sprachlich nicht nachweisen, dass der Kleriker schon während seiner Beschreibung des erzbischöflichen Einzugs in Canterbury eindeutig den Hausgenossen des Primas zitiert. Der Kleriker erwähnt - meiner Auffassung nach von Meyer absichtlich so konzipiert - seine Quelle erst nach dem Bericht des Einzugs, was zunächst zur Annahme verleitet, dass der Kleriker selber Augenzeuge der Ereignisse gewesen sei. Was sich als objektive Wiedergabe hingestellt hat, ist ebenfalls, wie beim Bischof, von einer subjektiven Perspektive belastet. "Die nüchterne Wahrheit", so erfahren wir also am Schluss, geht auf "einen Hausgenossen des Primas" zurück, d.h. also auf den Bericht eines für die Sache Beckets Eingenommenen.

Um der vollen Hintergründigkeit von Meyers Stil hier nachzugehen, muss rasch an jene Rahmenepisode erinnert werden, in der der Bogner dem Chorherrn die Geschichte von Beckets Eltern vorlegt. Auf eine Zurechtweisung Burkhards hin erzählt Armbruster die Ereignisse, die er aus zweiter Hand kennt, im Konjunktiv (XIII, 27). Mit dem Wechsel von einem Erzählmodus zum anderen wird der bisher unqualifizierte Wahrheitsanspruch des Berichts deutlich relativiert; der in der indirekten Rede verwendete Konjunktiv ist für den skeptischen Chorherrn der zuverlässigere, weil objektivere Modus. Zwischen Herrn Burkhard und der "Wahrheit" stehen zwei Instanzen: (a) der Armbruster und (b) ein zweiter Erzähler, sei es der Märchenerzähler, der Balladendichter oder der Meister des Bogners. Im Falle des Klerikers und seines Berichtes liegen die Dinge jedoch so, dass abgesehen von (a) Armbruster und (b) Kleriker nun auch noch eine dritte Instanz, (c) der Hausgenosse des Primas, zwischen Herrn Burkhard und dem Zugang zur "Wahrheit" stehen. Durch Zugabe eines dritten Sprechers wird in der Binnengeschichte der objektivierende Aussagewert des Konjunktivs in der indirekten Rede fundamental verunsichert und das Vertrauen auf die Objektivität konjunktivischen Erzählens ironisiert. Wir sollen plötzlich nicht mehr sicher wissen, wer wen zitiert und wer was - täuschender- oder ehrlicherweise - als "nüchterne Wahrheit" dargestellt hat.

Dass Herrn Burkhards und des Klerikers Gleichung "Sachlichkeit = Wahrheit" nicht glatt aufgeht, wird von Meyer auch noch an einer anderen Stelle gezeigt. Der normannische Waffenmeister Rollo bittet Armbruster, für ihn ein Abschiedswort an den König zu schreiben; von Heinrich bitter enttäuscht will er ihm seinen Dienst kündigen:

> 'Die englische Luft ist mir stinkend geworden!' zürnt Herr Rollo. 'Ich ziehe nach...Sicilia, wo mir ein Neffe lebt. Hans, nimm eine Kohle dort vom Herd!...und schreibe mir ein Valet an die Wand, dass ich keinem gegeisselten Könige diene.' Ich wusste, der edle Herr war des Schreibens unkundig, und ich brachte seine Gedanken nach Kräften in einen lateinischen Spruch, mit dessen Fassung er sich zufrieden gab und der lautete:
> 'Ego - Normannus Rollo - valedico - regi Henrico.'
> (XIII, 141; meine Hervorhebung)

Rollo wollte sicher mit seinem Gruss an den König seinem Zorn und seiner ganzen Verachtung Ausdruck geben. In Armbrusters Fassung kommt jedoch Rollos Enttäuschung über das Versagen Heinrichs nicht zum Ausdruck. Im Vergleich mit Rollos Absicht scheint des Armbrusters Fassung völlig neutral und objektiv. Doch hinter dieser Objektivität versteckt sich der ganz persönliche Standpunkt des Bogners. Er wusste, dass Rollos Abschied den König zutiefst erschüttern würde (XIII, 141), und er wählte also mildere Worte als Rollo, des Lateins und des Schreibens unkundig, sie beabsichtigte: Armbruster wollte seinen Herrn schonen. Armbrusters Fassung ist zweideutig und ironisch: es handelt sich zwar um ein Abschiedswort: das "Valet" wurde aber dem Wortlaut nach eher ein Lebewohl als das gewünschte Gottverdamm. Wie schon an anderer Stelle zu beobachten war, ist Meyers Ironie wiederum doppelter Art; denn über die ironische Fassung des Valets hinaus treibt Meyer hier wieder sein Vexierspiel mit dem Leser: letzterer ist frappiert über Armbrusters freie Interpretation - des Bogners nüchterne Formulierung ist nicht identisch mit der wahren Absicht des Normannen -, nur um kurz darauf festzustellen, dass dieser Spruch schliesslich gar nicht an die Wand geschrieben wurde:

> "Da riss mir der Waffenmeister die ungebrauchte Kohle aus der Hand, warf sie gegen den Herd und wandte mir...den Rücken." (XIII, 141)

Dies ist eine Technik, die schon auf Die Hochzeit des Mönchs verweist, wo Meyer in gehäuftem Masse solche ironischen Verfremdungseffekte einsetzen wird.

Sei es der Erzählstil der Chronik, sei es das Berichten persönlicher Erfahrungen, sei es die Fiktion des Märchens und der Ballade: das Verhältnis zwischen Wahrheit und Lüge, Objektivität und Subjektivität der sprachlichen Wiedergabe bleibt, was den Rahmen betrifft, fliessend. Und für die Binnengeschichte gilt Ähnliches: Des Armbrusters Valet stimmt und stimmt nicht; was der Bischof von York vorbringt, ist keine absolute Lüge, und die Worte des Klerikers enthalten ihrerseits keine absolute Wahrheit: beide Berichte haben "Recht und Unrecht". - Keiner der in der Novelle vertretenen und dargestellten Erzählpositionen kommt eine eindeutige Vorrangstellung zu: alle ironisieren sich gegenseitig.

iii. Die Personenkonfiguration im Rahmen- und Innenvorgang

Die Binnenerzählung wird von den Gestalten Heinrichs und Beckets beherrscht, in deren Verhältnis "rein menschliche Gegensätze verborgen" liegen.[15] Sie sind also wesensverschieden, grosso modo: Heinrich der aktive und Becket der kontemplative Menschentyp. Obschon in der Novelle öfters betont wird, dass der Kanzler und Primas "lediglich ein Geschöpf (der königlichen) Gnade" (XIII, 132) sei, wird das traditionelle Verhältnis zwischen Herrn und Diener im Verlaufe der Geschehnisse umgetauscht: Becket, so schreibt Meyer einmal an Lingg, spiele mit dem König wie "die Katze mit der Maus".[16] Der scheinbar Unterlegene (Becket) ist in Wirklichkeit der Überlegene, und das Machtverhältnis zwischen Heinrich und Becket steht somit unter umgekehrten Vorzeichen: Der Geistreich-Schwache überrumpelt den Einfältig-Starken; gewiss, mit den Waffen des Geistes, die aber im Falle Beckets - und das scheint mir hier von besonderer Bedeutung - in einem ganz konkret politischen Machtkampf um die Hegemonie der Kirche eingesetzt werden.

Diesen beiden Gestalten stellt Meyer im Rahmen ebenfalls Kontrast- und Parallelfiguren gegenüber, die das Thema "rein menschliche Gegensätze" variieren: den kontemplativen Chorherrn und den aktiven Armbruster. Einerseits war Hans in seiner Stellung als Knecht mit dem König persönlich verbunden; Herr Burkhard erinnert ihn daran, er hätte behauptet, dem König "wie der Knopf am Wamse, ja wie die Haut am Leibe" gehaftet zu haben (XIII, 14); ferner sind König und Knecht gewisse Charaktereigenschaften gemeinsam, ihre Vitalität etwa und ihr aufbrausendes Temperament. Auch zwischen dem Chorherrn und Becket lässt sich eine Verbindung erkennen: beiden gemeinsam sind der geistliche Stand, ein Hang zur Enthaltsamkeit und vor allem die Physiognomie als Ausdruck ihrer Geistigkeit und Distanz, das Feine nämlich, das Blasse und das Lächeln. Der "passive" Chorherr scheint es auch zu sein, der die Fäden in der Hand hält. Sein Anschlag ist gelungen: er hat den Bogner "listig" "in sein Gelass gelockt" (XIII, 9, 11) zur Befriedigung seiner längst gehegten Neugier über Thomas Becket. Anlass also, in Herrn Burkhard (wie in Becket) die Katze und in Armbruster (wie im König) die Maus zu vermuten.

Die Parallelen in den Personenkonfigurationen von Rahmen- und Binnenerzählung lassen sich jedoch ebenso überzeugend in umgekehrter Weise ziehen: Der Chorherr gleicht dem König, Armbruster dem Heiligen: "mit listigen Augen und innigem Vergnügen", so berichtet Hans, sei der König "den scharfsinnigen Auseinanderlegungen und verwickelten Schachzügen seines Kanzlers" (XIII, 36) gefolgt. Mit demselben Ausdruck folgt der Chorherr der Erzählung Armbrusters (XIII, 11, 16). Als reichstreuer Waiblinger ist Herr Burkhard "auch in den Händeln anderer Nationen ein königlich gesinnter Mann" (XIII, 105). Vor allem werden beide, der Chorherr wie der König, die Opfer ihrer "Gegner": der Konflikt mit seinem Primas zerrüttet und zerstört den König, der doch geglaubt hatte, klug zu handeln, als er Becket zum Erzbischof von Canterbury ernannte; und Herrn Burkhard vergeht auf der Ebene der "Idylle" (so nannte Meyer den Rahmen mehrmals) im Laufe des Abends das Lächeln gar gründlich. Für ihn war es eine im Voraus ausgemachte Sache gewesen, welche Schlüsse er aus des Armbrusters Bericht werde ziehen können. Heinrich war sicher, dass mit Becket auf dem Stuhl von Canterbury der Thron des Papstes in seinen Fugen krachen werde (XIII, 85); statt dessen kracht sein eigener Thron. Und Herr Burkhard, der das "Gold des neuen Heiligenscheines... ein wenig...schwärzen" (XIII, 139) wollte, wird statt dessen am Schluss der Erzählung von dem unheimlichen Einfluss Beckets auf den König zutiefst aus dem Konzept gebracht. Was der "Luzernerpfaffe" den Stiftsdamen aufgebunden hatte, d.h. die legendären Wundertaten des Heiligen, wollte er von Armbruster nicht zu hören bekommen (XIII, 13); er wollte lediglich inoffizielle Einzelheiten erfahren, die ihm das Wesen des neuen Heiligen näher bringen sollten. Während die Erzählung Armbrusters fortdauert, wird er allmählich unsicher und ist am Schluss von Beckets Heiligkeit überhaupt nicht mehr überzeugt. In vereinfachender Weise - auch darin ähnelt er dem König - erklärt er sich Beckets Verhalten und seine Macht vielmehr mit dem Motiv der Rache. Das geht deutlich aus einer seiner letzten Bemerkungen zu Armbruster hervor:

Freund...nächtige du unter dem Dache von St. Felix und Regul!

> Hat dich doch der heute hier regierende Heilige einen Schalksknecht genannt und möchte dir leichtlich, unversöhnt wie er ist, auf deinem finstern Wege zur Herberge Fallstrick und Hinterhalt legen. (XIII, 146f.; meine Hervorhebung)

Der Bericht des Bogners hat seine Sicherheit erschüttert; des Chorherrn Hände zittern, er fürchtet sich, die Nacht allein zu verbringen. Ihm ist die existenziell angelegte Zweideutigkeit des Heiligen weitgehend entgangen.[17] Er ist jenem dem "Menschen inhärirenden allgemeinen Irrthum" verfallen, es gebe eine eindeutige, absolute Antwort auf Fragen der menschlichen Existenz. Am Ende der Novelle denkt er nicht differenzierter oder nuancierter; er denkt lediglich etwas Neues aber nicht minder Lapidares: den "Heiligen" motivierte die Rache, und er ist vielleicht sogar des Teufels.[18] Überlegenheit und Distanz, wie sie ihn zu Beginn des Abends kennzeichneten, als er den Bogner zu sich "gelockt" hatte, sind völlig dahin: Armbruster, der Einfältig-Starke in Burkhards Augen zumindest, überrumpelt den Geistreich-Schwachen.

Doch Meyers Verteilung der Charakterpotenzen ist noch komplizierter. Nicht nur Herr Burkhard sondern auch Armbruster versteht wie Becket zu lächeln. Des Bogners Versprechen, den Wunsch des Gastgebers nicht unerfüllt zu lassen und dem Chorherrn die Geschichte des Kanzlers zu erzählen, wird von einem Lächeln, zwar einem "grimmigen" (XIII, 16) begleitet. Dieses Lächeln lenkt den Leser auf weitere Parallelen zwischen Armbruster und Becket. Beide haben um eines Vorteils willen die erste Weihe empfangen; beide sind entkuttete Mönche; beide verweilten in Cordova unter den Heiden und dienten demselben Herrn (König Heinrich); beide verstehen sich auf die Kunst der Verstellung und werden von ihrer Umgebung nicht recht durchschaut; beide wissen eine Kunst zu schätzen, die es dem Schwächeren ermöglicht, den Stärkeren aus der Ferne zu treffen (XIII, 33). Becket zerstört seinen König mit der Waffe der Politik : und mit seiner Erzählung, einer Waffe des Geistes, bewirkt der Waffenschmied, dass der anfangs listig lächelnde und auch immer nörgelnde Chorherr am Ende tief erschüttert erscheint.

Was die Figurenkonstellation im Heiligen anbelangt, lässt sich meines Erachtens folgendes Fazit ziehen: Meyer hat sich um eine ausgeklügelte Strategie von Parallelen und Kontrasten in den Gestalten bemüht, die - je nach dem Kräftefeld, in dem sie zusammentreten - das Geschehen und seine Träger so verändern, dass der Leser auf einseitige Typisierung verzichten muss und die vier Hauptgestalten der Novelle immer wieder in neuen Beziehungen zueinander sieht. Schematisch lässt sich diese Strategie so darstellen:

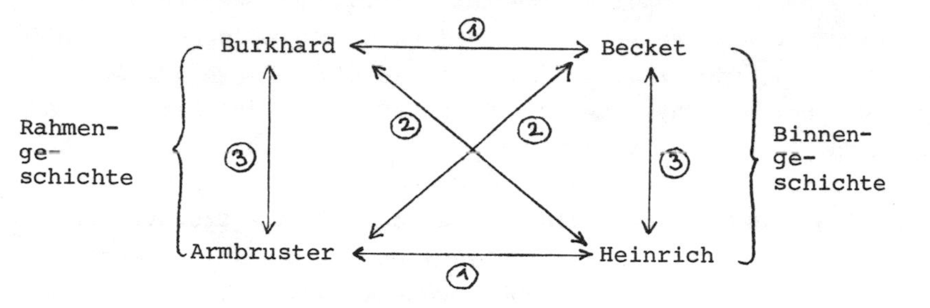

Auswertung:

Verbindung 1: Burkhard/Becket und Armbruster/Heinrich sind einander wesensähnlich. Sie repräsentieren jeweils den vorwiegend kontemplativen und den vorwiegend aktiven Typus.

Verbindung 2: Burkhard/Heinrich und Armbruster/Becket sind einander funktionsähnlich: Burkhard und Heinrich glauben die Sieger zu sein und sind im Grunde genommen die Besiegten; Armbruster und Becket erscheinen erst als Opfer und sind in Wahrheit aber die Sieger. Katzen werden Mäuse; und Mäuse werden Katzen.

Verbindung 3: Die funktionelle Umkehr kommt dadurch zustande, dass Armbruster und Becket (die "Mäuse") mit den Waffen Burkhards und Heinrichs (die "Katzen") umzugehen verstehen: Der Waffenschmied verwendet die Waffe des Geistes, d.h. die Kunst des Erzählens. Becket, der neue "Friedensstifter", treibt kraft seines erzbischöflichen Amtes Weltpolitik.

Durch solche Entsprechungen, die teils geradlinig nebeneinander herlaufen teils sich überkreuzen, gelingt es Meyer im Laufe der Novelle die Vielschichtigkeit der Einzelgestalten und ihrer Relationen klar zu machen. Im Gegensatz zum mittelalterlichen Zuhörer soll Meyers Leser tiefer sehen. Und eben hierin liegt die eigentliche Funktion des ironischen Stils der Novelle: In der bewusst gemiedenen strukturellen Geradlinigkeit und Eindimensionalität, in den sich aneinander reibenden Perspektiven und sich überkreuzenden Parallelen, spiegeln sich Zwei- und Schwerdeutigkeiten der Meyerschen Gestalten allgemein und seines Heiligen im besonderen. Meyer interpretiert die Vergangenheit neu, indem er die oberflächlichen Deutungen eines bestimmten Sachverhalts mit Hilfe des ironischen Stils verunsichert und den tradierten Heiligentypus in Frage stellt. - Er kam vor und nach der Veröffentlichung seiner Novelle verschiedentlich auf die Polyvalenz und die darin resultierende "Interpretationsfähigkeit"[19] des Heiligen zu sprechen. Die Novelle sei "absichtlich mehrdeutig"[20] und er habe das ethische Problem "ins Helldunkle" gerückt; Der Heilige sei eine "wie das Leben vieldeutige Komposition".[21] Meyers Kunst will mimetische Kunst sein. Er schildert den Heiligen, er schildert die Welt, wie er sie sieht: vieldeutig. Diese Grundabsicht hat nicht nur das Thema und die Charaktergestaltung Beckets sondern auch die Gesamtstruktur der Novelle beeinflusst; sämtliche Aspekte sind mehrdimensional, der Grund auch, weshalb Der Heilige "überall gestossen" hat, "die Frommen durch seine Crudität u. eine Ahnung von Ironie, die Freisinnigen durch seinen Nimbus, denn unter einem Heiligen sich etwas anderes als eine Fratze vorzustellen, geht über den Horizont dieser braven Leute".[22]

3. Pluralismus der Sprache: Das Leiden eines Knaben

In diesen Beobachtungen am Leiden eines Knaben soll gezeigt werden, dass der in der Novelle von Meyer so auffallend eingesetzte Pluralismus der Sprache aus einer ironischen Grundabsicht des Dichters erwächst. Obschon Das Leiden eines Knaben seine "selten getadelte Stellung im Gesamtwerk Meyers behauptet hat", so bemerkt Karl Fehr, ist eine "zureichende Würdigung dieses Werkes... allerdings bis heute ausgeblieben".[1] Was Wunder, wenn von einer durchgängigen Ironie im Leiden eines Knaben in der Fachliteratur nirgends die Rede ist; und wo Ironie überhaupt bemerkt wurde, hat man sie nur flüchtig behandelt.[2]

In der Problematik der Novelle fällt das Schwergewicht auf "die Rede...von der Glaubwürdigkeit der Dinge" (XII, 120). Es handelt sich darum, Ludwig XIV. zu überzeugen, dass der Jesuitenpater Tellier ein Heuchler und Schuft ist und von seinem neuen Amt als königlicher Beichtvater abgesetzt werden sollte. Mittels der ergreifenden Leidensgeschichte eines Knaben, der das unschuldige Opfer Telliers geworden war, versucht Fagon, Ludwigs Leibarzt, den König von Telliers wahrem Charakter, von seiner Gemeinheit und Grausamkeit zu überzeugen. Doch scheitert Fagons Unterfangen: Tellier bleibt königlicher Beichtvater. - Hier wie anderswo bei Meyer geht es um das Problem der Wahrheit und um ihre Überzeugungskraft;[3] dringender jedoch als in seinen anderen Novellen geht es zugleich um ein weiteres, mit dem ersten freilich eng verkoppeltes Problem: um die Rede von der Glaubwürdigkeit der Dinge, will sagen, um die sprachlichen Mittel, mit denen Wahrheit - falls überhaupt - zum Ausdruck gelangen kann oder soll. Meyer hat darum die Beschäftigung mit Sprache in verschiedenen Formen und Abarten im Leiden eines Knaben mit äusserster Konsequenz durchgeführt;[4] das Neben- und Gegeneinander mehrerer verschiedener Sprachebenen ist meiner Meinung nach die auffälligste ironische Technik der Novelle überhaupt. Dieser ironischen Technik und ihrer Bedeutung für die Grundaussage der Novelle nachzugehen, wird hier die Hauptaufgabe sein.

Zunächst sollen die verschiedenen Sprechweisen, denen wir in der Novelle begegnen, ins Auge gefasst werden, wobei sich auch gleich die Frage stellt, ob diese Sprechweisen das wahre Wesen der Sprecher widerspiegeln. Dann möchte ich kurz die hinter den

Sprechweisen liegenden Absichten sowie Wirkungen der verschiedenen Sprechweisen in der Novelle untersuchen. Daraufhin folgt eine knappe Zusammenstellung jener Sprechweisen, in denen sich rhetorische Ironie bekundet. Der nächste Abschnitt wird sich mit der Sprache Fagons befassen, der unter anderem darin Ironiker ist, dass er sich aller möglichen Sprachformen bedient, ohne sich je gänzlich mit der einen oder anderen zu identifizieren; und mit Fagons Verhältnis zu den zwei Randgestalten Mouton und Molière. Besonders Molière, der ohne je aufzutreten doch vom Anfang bis zum Ende in der Novelle herumgeistert, ist, wie ich zeigen möchte, Schlüsselgestalt zum Verständnis der ironischen Grundabsicht sowohl Fagons als auch Meyers im Leiden eines Knaben. Abschliessend befasse ich mich mit der Frage, in welcher Weise die ironische Technik des sprachlichen Pluralismus als Gestaltungsprinzip der weltanschaulichen Probleme im Leiden eines Knaben dient und diese entsprechend reflektiert.

Die verschiedenen Sprechweisen

Wie schon Wiesmann festgestellt hat, begegnen sich in der Novelle zwei entgegengesetzte Sprachebenen:

> Einerseits zeichnet Meyer...die Kultur des klassischen Frankreichs und beschreibt sie in einem erlesenen Deutsch, andererseits lässt er seinem Spott über die menschliche Schwachheit und Torheit die Zügel schiessen und macht nicht einmal vor dem Tiervergleich halt,... Die Mischung von Erhabenheit und Groteske ist ein Stilzug seines Werks, nur überwiegt dank der Sprache doch der Eindruck der Würde.[5]

Wiesmanns Schluss allerdings, dass im Leiden eines Knaben "dank der Sprache doch der Eindruck der Würde" überwiege, scheint mir fraglich. Vielmehr ist es doch so, dass Meyer die Gewichte gleichmässig auf die erlesene und die groteske, oft sogar derbe Sprache verteilt hat. Diesen beiden Sprachebenen der Novelle entsprechen zudem zwei Räumlichkeiten, nämlich der Hof Ludwig XIV. einerseits und der botanische Garten andererseits; sie sind zugleich Sinnbild zweier grundverschiedener Wertesysteme: Solches zeigt sich etwa schon in Meyers Gegenüberstellung der Madame de Maintenon und der Gräfin Mimeure. Die beiden Frauen sind wohl annähernd gleichen Alters; sie sind beide vornehmer Herkunft; in Fagon haben sie einen gemeinsamen Freund, und sie nehmen beide Anteil an Julians traurigem Geschick. Meyer jedoch setzt zu ihrer Beschreibung zwei radikal verschiedene Sprachebenen ein, um zu zeigen, welch verschiedenen Welten sie trotz aller Ähnlichkeit vertreten; gerade weil sie beide der hohen Gesellschaft angehören, ist ihre Gegensätzlichkeit so frappant. Dementsprechend ist auch der von Meyer angelegte Schnitt in die beiden Lager, Schloss und Garten, unendlich komplizierter, als wenn er einfach auf dem Kontrast zwischen einer zivilisierten und unzivilisierten Welt beruhen würde.[6] Madame de Maintenon, so berichtet der Erzähler, sei eine "zarte Frau", "voller Grazie trotz ihrer Jahre" und eine "diskrete(n) Freundin" (XII, 101); er erwähnt ihre "dunklen, mandelförmigen, sanft schwermütigen Augen" (XII, 103) und "das feine Profil...mit hoher Stirn" (XII, 108), etc. Die Gräfin Mimeure hingegen ist eine "purzlige Alte" (XII, 128), eine "alte(n) Kräuterschachtel" (XII, 127). Sie geht am Stock, ist "garstig und witzig" (XII, 129) und hält sich beim Lachen den "wackelnden Bauch" (XII, 130). Meyers Darstellung der Frau von Maintenon stimmt mit zeitgenössischen Porträts überein (XII, 333) und könnte gut in einer Ahnengallerie hängen. In schrillem Kontrast wird dem Porträt der königlichen Gattin die Karikatur der Mimeure - im derb niederländischen Stil - entgegengehalten.

Schliesslich werden auch von den Gestalten der Novelle beide Sprechweisen vertreten, sowohl praktisch als auch theoretisch. Bezeichnend für den von Meyer dargestellten Pluralismus: es gibt nicht einfach eine Sprache in der Novelle, sondern subjektiv differenzierte Sprachen; und selbst diese lassen sich nie endgültig charakterisieren oder kategorisieren, weil ihre Vertreter, wie noch zu zeigen gilt, mitunter sich auch auf anderen Ausdrucksebenen bewegen können.

In keiner anderen Novelle von C. F. Meyer ist Sprache ein so dringendes und zentrales Anliegen wie im Leiden eines Knaben, und zwar nicht nur für den Dichter, sondern auch für die Gestalten innerhalb der Novelle selbst. Immer wieder kommen sie zurück auf das Problem der Sprache, auf richtiges, normatives Sprechen. Auffallend erscheinen mir dabei die Kleidermetaphern, die herbeigezogen werden, um Sprechformen zu definieren. Diese Metaphern verleihen der Sprache den Eindruck der Bedingtheit und unendlichen Variabilität: man kann sie an- und ausziehen; Sprache ist der Mode unterworfen; Sprache wie Kleidung sitzt mehr oder weniger gut. Für den König, der es sich zum Gesetz gemacht hat, niemals "ein unkönigliches Wort in den Mund zu nehmen" (XII, 104), ist Sprache ein Schleier, mit dem man unschöne Wahrheiten verdecken soll (XII, 104); Fagon jedoch deutet an, dass man "das verhüllende Tuch" der gediegenen Sprache vielmehr wegziehen müsse, um der Wahrheit, sei sie auch noch so schmerzlich, auf den Grund zu kommen (XII, 121). Ganz ähnlich äussert sich auch seine Freundin im Garten, die Gräfin Mimeure: die preziöse Sprache ihrer Nichte ist der "Lumpen einer geflickten Phrase", mit dem Mirabelle ihr reines Wesen "behängt" (XII, 133).

Wie stark Werturteile über Redestil subjektiv bedingt sind, hebt Meyer unter anderem damit hervor, dass in der Novelle zwei verschiedene Reden als "geschmacklos" bezeichnet werden und dem Vorwurf der Geschmacklosigkeit je ein gänzlich verschiedenes Stilempfinden zu Grunde liegt.

> "Fagon", sagte der König mit Würde, "du hast den armen Père Tellier wegen seiner <u>geschmacklosen</u> Rede über seinen Vater beschimpft und redest selber so nackt und grausam von dem deinigen. Unselige Dinge verlangen einen Schleier!" (XII, 121; meine Hervorhebung)

Des Königs Behauptung, Fagon habe den Jesuitenpater der Geschmacklosigkeit bezichtigt, gibt Aufschluss über die Fälschungstendenzen des Königs. Wie aus Fagons früheren Worten zu erkennen ist, ging es ihm ja keineswegs um Telliers Geschmacklosigkeit - ein weitgehend aesthetisches Kriterium, sondern vielmehr um dessen Heuchelei - ein weitgehend moralisches Kriterium:

> Schon dieses nichtswürdige Reden von dem eigenen Vater, diese kriechende, heuchlerische, durch und durch unwahre Demut, diese gründliche Falschheit verdiente vollauf schuftig genannt zu werden. (XII, 105)

Wenn der König die heuchlerische Rede Telliers als geschmacklos bezeichnet, so unterzieht er sie, wie eben bemerkt wurde, lediglich der aesthetischen Kritik, währenddessen die wahre aber schreckliche Lebensgeschichte von Fagons Vater dem moralischen Tadel des Königs unterworfen wird: Fagon rede "nackt und grausam". Was der König "geschmacklos" nennt, ist in Fagons Vokabular falsch und heuchlerisch; und was der König als "nackt und grausam" verurteilt, ist in Fagons Bewertung <u>wahr</u> und <u>echt</u>. Meyer hält dem königlichen Begriff der Geschmacklosigkeit einen zweiten gegenüber, nämlich den der Gräfin Mimeure:

> Es ist eine lächerliche Sache mit dem Mädchen, Fagon, und ich sah, wie es dich verblüffte, da du von dem schönen Kinde so <u>geschmacklos</u> angeredet wurdest. (XII, 132; meine Hervorhebung)

Ihre Kritik bezieht sich natürlich auf die preziöse Sprache Mirabelles. Für die Gräfin ist ein Sprachstil, der die Dinge indirekt und verschleiert ausdrückt, geschmacklos. Dementsprechend wird Mirabelle nach der geblümten Begrüssungsrede an Fagon etwas unwirsch zurechtgewiesen:

> So spricht man nicht. Dieser hier ist nicht der erste der Ärzte, sondern schlechthin Herr Fagon. Der botanische Garten ist kurzweg der botanische Garten...Paris ist Paris und

nicht die Hauptstadt, und der König begnügt sich damit, der König zu sein. Merke dir das. (XII, 129f.)[7]

Auch was "unselige Dinge" betrifft, legt die Gräfin Mimeure ihnen keinen Schleier über, im Gegenteil. Guntram, ihr gefallener Neffe, "fault...in einem belgischen Weiler. Aber die schmalen Erbteile seiner fünf Schwestern haben sich ein bisschen gebessert" (XII, 131). - Damit hat Meyer die Bedingtheit des wertenden Begriffes der "Geschmacklosigkeit" aufgedeckt. Der König findet die verschleiernde und verklärende Sprache geschmackvoll; das Kriterium des guten Geschmacks ist lediglich die Form der Sprache, nicht der Inhalt. Die Gräfin hingegen nennt die Dinge unverblümt beim Namen: "Paris ist Paris". Inhalt und Form der Sprache müssen sich decken; und wenn sie das nicht tun, dann ist Sprache für sie - im betonten Kontrast zu König Ludwigs Urteil - geschmacklos. - Mit der ironischen Technik der Gegenüberstellung zweier entgegengesetzter Auffassungen hat Meyer die Allgemeingültigkeit aesthetischer Begriffe in Frage gestellt; Urteile über Sprachstil sind subjektiv bedingt.

Den verschiedenen Gestalten in der Novelle hat Meyer charakteristische Sprechweisen verliehen, durch die sie sich jeweils von anderen Gestalten der Novelle abheben. Und mit Ausnahme Fagons, auf den wir später noch ausführlicher zu sprechen kommen, werden die Gestalten durch ihre Spracheigenschaften auch weitgehend als Bewohner der einen Welt - des Hofes, der Gesellschaft überhaupt - oder der anderen Welt - des botanischen Gartens - gekennzeichnet. So nimmt denn der König zum Beispiel kein unkönigliches Wort in den Mund; und die Sprache Moutons, seinem Wohnort und seinem Namen entsprechend, ist voller Ausdrücke, die dem Bereich der Natur und ganz besonders der Tierwelt entstammen. Dem zum Trotz wird die für eine Gestalt typische Sprechweise - in echt ironischer Manier - nicht konsequent eingehalten; wir dürfen also nicht so ohne weiteres von Sprache auf Wesen schliessen. Mouton, durch und durch am Rande der Gesellschaft lebend und ihren Werten entfremdet, zieht bisweilen doch die Konvention heran, um seinen Gedanken Ausdruck zu verleihen; so bemerkt zum Beispiel Christine Merian-Genast hinsichtlich Mouton: "Obwohl er 'göttlich' als dummes Wort bezeichnet, ist er doch geneigt, es auf das Stierhaupt ...anzuwenden".[8] Mouton kennt also ein Bezugs- und Wertsystem, das dem Göttlichen einen Platz zugesteht; dass Moutons Gottesbegriff nicht mit dem der kultivierten Welt übereinstimmt, bedeutet nicht, dass er etwa überhaupt keinen hat. Besonders aufschlussreich für Moutons Mitteilungsvermögen scheint mir auch

Folgendes zu sein: Der Maler, der seine Vergleiche weitgehend aus der Tierwelt schöpft und dessen Kunst sich immer wieder das Tier zum Gegenstand auswählt, drückt das intensive Leiden Julians ausgerechnet nicht mit Symbolen aus der Tierwelt aus; dort, wo er die Wahrheit um Julian darstellen will, gibt er also die für ihn sonst eigentümliche "Sprache" auf und drückt statt dessen seine Vorahnung von Julians Martyrium durch die Darstellung einer ovidischen Szene aus, durch Symbole also einer mit dem antiken Bildungsgut vertrauten Gesellschaft. Im Gegensatz zu den Gepflogenheiten der Gesellschaft geschieht Moutons Anlehnung an die Antike völlig spontan, denn er vernimmt die Pentheus-Tragödie wohl erstmals durch eine Übersetzungsaufgabe Julians (XII, 135). Einen "Halbmensch(en)" nennt Fagon den Maler einmal, womit er besagt, dass Mouton eben zwischen zwei Welten steht. Entsprechend teilt er sich zwar vornehmlich durch tierische "Zeichen" mit; er setzt aber auch Sprache und Zeichen ein, die der gebildeten Welt entstammen. Im Affekt, so deutet Meyer an, wenn er tief bewundert (der Stier) oder tief sich sorgt (Julian), lässt Mouton das ihm übliche Idiom hinter sich und sucht nach dem für ihn ungewöhnlichen Ausdruck. - Auf der entgegengesetzten Seite des sprachlichen Spektrums steht Ludwig XIV., der in der Novelle tatsächlich stets würdevoll spricht. Meyer will damit aber nicht besagen, dass seine höchst gepflegte Sprache der Widerschein einer ebenso edeln Natur ist. Der Dichter hat dem König nämlich eine zweite "Sprache" im weitesten Sinn gegeben, die der Worte nicht bedarf, aber nicht minder aufschlussreich ist: die Geste. Meyer erwähnt im ersten Abschnitt der Novelle, wie der König "ohne weiteres in seiner souveränen Art ein Fenster" öffnet, ohne sich darum zu kümmern, dass die zarte Frau von Maintenon fröstelt. Edle Sprache ist nicht immer Garant für edles Verhalten. Denn hinter dieser gediegenen Sprache verbirgt sich des Königs grenzenloser Egoismus, auf den ja später wieder angespielt wird (z.B. XII, 153). Das wohl auffälligste Beispiel für die Diskrepanz zwischen Sprache und Wesen bietet natürlich der doppelzüngige Beichtvater. Hinter frommen Sprüchen und Demutsfloskeln versucht er, freilich nicht immer erfolgreich, seine wahre Natur zu verbergen. Denn hin und wieder fällt er aus der Rolle, z.B. wenn ihm sein massloses Vorurteil gegenüber Julian entschlüpft (XII, 149), oder wenn er als Jesuit die Frage stellt, was er denn eigentlich mit "dem Nazarener" (das heisst mit Jesus) zu tun habe (XII, 150).

Ähnliches liesse sich an den anderen Gestalten der Novelle aufzeigen. Auch sie lässt Meyer oft ganz unvermutet aus ihren üblichen sprachlichen Rollen herausfallen, wobei der Begriff der sprachlichen Rolle hier so weit gefasst werden sollte, dass er auch Geste als "Sprache", als Form der Mitteilung einbezieht.[9] Mit diesem Vorgehen will Meyer zeigen, dass jener Sprachstil den die Gestalten in der Novelle am häufigsten gebrauchen, nicht unbedingt dem entspricht, was sie ihrem Wesen nach sind. Meyer will den Leser verunsichern, will zeigen, dass Wesensart und Sprechart nicht immer kongruent sind, und dass man nicht so ohne weiteres von der einen auf die andere schliessen darf.

Funktionen der Sprache

Eine Beurteilung dessen, was Sprache im Leiden eines Knaben bezweckt, welche Funktionen den verschiedenen Diskursen zufallen, hängt wiederum vom Standpunkt der verschiedenen Gestalten in der Novelle ab, ist also - wie die Definition dessen, was Sprache ist - subjektiv bedingt.

Einige Gestalten brauchen ihren Diskurs als Schleier, als Deckmantel, hinter dem sie ihr wahres Wesen zu schützen oder verstecken suchen. Für die scheue Mirabelle ist die preziöse Sprache eine Maske, hinter die sie aus Angst vor einer ungewohnten Situation - wenn sie "einem grossen Tier" (XII, 133) begegnet - schlüpfen kann. Auch Fremdsprache kann Schutz verleihen: der unterwürfige und gehorsame Pater Amiel ermutigt sich mit seiner Rhetorik; im gerechten Zorn spricht er Latein. Julian verteidigt die Kunst der Rede als "eine geforderte, unentbehrliche Sache" (XII, 130) und er weiss warum, hat ihm doch sein Stottern, sein sprachliches Unvermögen an jenem Marly-Tage den Übernamen "le bel idiot" (XII, 106) eingetragen.[10] Für Tellier ist Sprache Tarnung; seine Demutsfloskeln sind sozusagen der Schafspelz, unter dem sich "der Wolf" verstecken kann.

Fagon braucht Sprache, oder genauer: den Anspielungsreichtum gewisser Worte als Mittel zum Zweck. Um Julian das Leben bei den Jesuiten zu erleichtern, teilt er diesen mit, dass Julians Mutter dem König "eine angenehme Gestalt" gewesen sei. Damit sagt er ihnen zwar die "reine Wahrheit", wie er dem König beteuert (XII, 146); Fagon weiss jedoch, dass die Jesuiten "das Reinste ins Zweideutige" umarbeiten, und rechnet fest damit, dass sie in diesem Fall die andere Bedeutungsmöglichkeit erfassen und als Tatsache nehmen werden: dass die Marschallin die Geliebte des Königs gewesen und Julian gar des Königs unehelicher Sohn sei.

Fagon kleidet hier "die reine Wahrheit" in solche Worte, auf dass der Hörer eine potentiell darin enthaltene Unwahrheit wähle und glaube. Fagon bedient sich hier des ironischen Sprechens und ermöglicht es dem Hörer, einen "Irrtum" (XII, 146) als Wahrheit zu deuten, wodurch Julian von den Jesuiten mit Nachsicht behandelt wird. (Dass es ausgerechnet Fagon ist, der einen "Irrtum" fabriziert, ist ironisch und muss später wieder aufgegriffen werden.)

Sprache erweist sich in der Novelle als das höchst biegsame Instrument, mit dem sowohl Illusionen geschaffen als auch zerstört werden können. - Guntram schleudert Julian die Wahrheit ins Gesicht, die dieser sich selber zu verhehlen sucht:

> "Ein hübscher Gott...der mir Kriegslust und Blindheit und dir einen Körper ohne Geist gegeben hat!"... Seit jenem Tage war ich ein Unglücklicher, denn Guntram hatte ausgesprochen, was ich wusste, aber mir selbst verhehlte, so gut es gehen wollte. (XII, 137f.)

Beinamen, wie zum Beispiel der von Saint-Simon auf Julian gemünzte (bel idiot) sind gefährlich, denn sie können "ein Leben vergiften" (XII, 106);[11] ein kleines Wortspiel, von einem Schulbuben ersonnen (bête Amiel - bête à miel), löst für Julian die Katastrophe im Collegium aus; und die phrasenhafte, apodiktische, aber durchaus unschuldig gemeinte Bemerkung Mirabelles, die keine Ahnung hat, dass Julian soeben körperlich misshandelt worden ist, besiegelt dessen Schicksal:

> "Körperliche Gewalttat erträgt kein Untertan des stolzesten der Könige: ein so Gebrandmarkter lebt nicht länger!" (XII, 155)

Die Macht der Sprache kann aber auch eine völlig positive Seite haben, wie die Kriegsworte und militärischen Befehle, die für den agonisierenden Knaben ein Schlachtfeld herzaubern, ein Reich der Phantasie und des schönen Scheins, die ihm das Sterben leichter machen:

> 'ich will ihm wenigstens', murmelte der Marschall, 'das Sterben erleichtern, was an mir liegt. Julian!' sprach er in seiner bestimmten Art. Das Kind erkannte ihn.
> ....
> 'Dort die englische Fahne! Nimm sie!' befahl der Vater. Der sterbende Knabe griff in die Luft. 'Vive le roi!' schrie er und sank zurück wie von einer Kugel durchbohrt. (XII, 157)

Diese auf reine Illusion gegründeten Worte schaffen vorübergehend eine Wirklichkeit, in der Julian "als Soldat und brav" stirbt.

Neben der Macht der Sprache, sei sie positiv oder negativ, wird im Leiden eines Knaben auch die Ohnmacht der Rede aufgedeckt. Fagons Erzählung vom Leiden Julians ist nicht mächtig, nicht überzeugend genug, um beim König durchzudringen. Fagons Kunst der Rede, die er als Mittel zu dem einen Zweck benutzt, der Wahrheit und Gerechtigkeit zum Durchbruch zu verhelfen, stösst auf einen tauben König. Ludwig XIV. will nicht hören. Ungeachtet dessen, was erzählt wurde, bleibt Tellier der Beichtvater des Königs: zumindest Ludwig gegenüber ist Fagons Sprache ohnmächtig. - Eine ähnliche Erfahrung muss Victor Argenson machen, wenn Tellier sein Schuldbekenntnis ignoriert, obschon er "geschrieen (hat) wie einer, den sie morden" (XII, 145).

Meyer hat die Sprache mit all ihren polaren Möglichkeiten dargestellt. Sorgfältig nuancierend und relativierend hat er sprachliche Macht sprachlicher Ohnmacht gegenübergestellt, sprachlich Wohlmeinendes sprachlich Destruktivem entgegengehalten. Die Absichten des Sprechers und die Wirkungen des Gesprochenen koinzidieren manchmal - und manchmal auch nicht. Man muss hier wiederholen, dass Meyer verunsichern will, dass es ihm offensichtlich darum geht, den Leser darauf aufmerksam zu machen, dass - ebenso wie Sprechart und Wesensart - Absichten und Wirkungen des Gesprochenen auseinanderfallen können.

Ironie als rednerisches Mittel

Besonders scharf kommt die Diskrepanz zwischen Rede und Wahrheit in der Ironie als rednerischem Mittel zum Ausdruck. Immer wieder in der Novelle wird von den Gestalten das Gegenteil dessen ausgesagt, was wirklich gemeint oder tatsächlich zutreffend ist. Dabei ist zwischen zwei deutlich verschiedenen Situationen zu unterscheiden: (1) die Gestalten sprechen bewusst ironisch; in dem Fall handelt es sich um "direkte Ironie" (siehe Einleitung); (2) oder aber Meyer lässt die Gestalten etwas sagen, was der Wahrheit widerspricht, ohne dass sie sich dessen im Augenblick der Aussage bewusst sind; in dem Fall wird der Leser Zeuge der "tragischen Ironie". Für beide Arten der Ironie sollen hier einige Beispiele angeführt werden.

Verschiedene Fehlurteile, welche die Gestalten in der Novelle teils über sich selber teils über andere zum Ausdruck bringen, stellen Momente der tragischen Ironie dar. Ludwig beschreibt den neuen Beichtvater als einen "gegen sich und andere strenge(n) Mann..., welchem sich ein Gewissen übergeben lässt" (XII, 102). Der Verlauf der Geschichte jedoch wird zeigen, dass Tellier zwar gegen andere - und oft zu Unrecht - streng ist, weniger jedoch gegen sich selbst und dass man einem solch abgefeimten Heuchler sein Gewissen gerade nicht übergeben sollte. - Ebenso irrt sich Madame de Maintenon mit ihrer erbaulichen Bemerkung über den Pater: "Je schlechter die Rinne, desto köstlicher das darin fliessende himmlische Wasser." (XII, 102). Im Falle Telliers erweist gerade das "himmlische Wasser" sich als ebenso schlecht wie die Rinne. - Vollkommen ehrlich gemeint ist Madame de Maintenons Behauptung, dass Fagon dem König unendlich anhänglich sei (XII, 103). Sie irrt sich, denn, wie noch zu zeigen gilt, ist Fagon dem König gegenüber zutiefst kritisch und scheut sich auch nicht, ihn unmittelbar zu verhöhnen. - Unangepasst und ironisch wirkt es, wenn Argenson sich auf eine Stelle aus den paulinischen Briefen beruft, um Tellier zur Reue zu bewegen:

> Lasst es Euch kosten und bedenket: der, dessen Namen Ihr traget, gebietet, die Sonne nicht über einem Zorne untergehen zu lassen, wieviel weniger über einer Ungerechtigkeit! (XII, 150)

Argenson geht von der Voraussetzung aus, dass wer sich wie die Jesuiten nach Jesus nennt, auch einem bestimmten Lebenswandel und christlichen Ethos verpflichtet ist. Seine Präsumtion jedoch erweist sich nicht als allgemeinverbindlich, zumindest verpflichtet sie den Rektor, der, wie schon früher erwähnt wurde, den Namen Jesu meidet, zu nichts:

> "Was habe ich mit dem Nazarener zu schaffen?" lästerte er,... (XII, 150)

Meyer ironisiert Argensons Mahnung auch noch von einer anderen Seite her: Ludwig XIV., der "Allerchristlichste" (XII, 153) - wie der Jesuit nach Jesus, so heisst der König mit dieser Apposition nach Christus - lässt in der Tat die Sonne über einer Ungerechtigkeit untergehen, indem Tellier nämlich im Amt bleibt.

Auch Fagon irrt sich, wenn er mit der "allgemeine(n) Menschenliebe der Jesuiten" (XII, 114) rechnet, lieben diese doch nur solche Menschen, die sich ihrem Orden ohne jegliche Kritik unterstellen. - Selbst Fagons gut gemeintes Versprechen, Julian in Zukunft zu helfen, ist vom Ende der Novelle her betrachtet, ironisch: "Willst du mir aber glauben, so trage ich dich durch die Wellen. Wie du bist, ich werde dich in den Port bringen" (XII, 139). Der verwachsene und schwächliche Fagon wählt ironischerweise die Metapher vom Heiligen Christophorus, der nach der Legende das Jesuskind auf der Flucht vor den Soldaten des Herodes auf seinen Schultern übers Wasser ans sichere Ufer trug. Fagon kleidet sein Versprechen wohlmeinend in homiletische Sprache, die Julian mit Vertrauen erfüllt. Doch weder Julian noch der Arzt können wissen, dass die Hilfe zu spät kommen und dass der "Port", in den er den Jungen bringt, die Erlösung durch den Tod sein wird.[12] - Werner Oberle bemerkt, dass Meyer in der Gestalt Ludwigs XIV. "ein(en) Grosse(n) entlarvt" habe.

> er glaubt..., es gebe in seinem Lande sozusagen keine gewaltsamen Bekehrungen mehr, "weil ich es ein für allemal ausdrücklich untersagt habe und weil meinen Befehlen nachgelebt wird", und merkt nicht, wie sehr er verblendet ist.[13]

Diese beiden letzten angeführten Beispiele - Fagons und Ludwigs Blindheit - haben einen entscheidenden ironischen Zug gemeinsam: sowohl Fagon als auch Ludwig ironisieren auf diese Weise sich selber. Freilich unbewusst. Muecke nennt diese Form der Ironie "die Ironie des Selbstverrats", irony of self-betrayal: In der Entwicklung ironischer Strategien werde diese spezifische Form dann erreicht, wenn sich der ironische Dichter völlig zurückziehe um Gestalten zu schaffen, die sich unbewusst selber ironisieren.[14]

Es folgen nun Beispiele der von den Gestalten in der Novelle bewusst angewandten Ironie in Form der ironischen Figur. Unter diesem Begriff seien Sprechweisen verstanden, die sich für den Sprecher bewusst vom Wahrheitsgehalt entfernen und in denen sich Ironie bekundet. Hierzu gehören unter anderem gewisse Euphemismen, understatements, Übertreibungen, der umgekehrte Ausdruck, der vieldeutige Ausdruck und die willentlich unangepasste Rede.[15]

Der König nennt Frau von Maintenon gegenüber die Schimpfnamen, die Fagon dem Beichtvater Tellier angehängt hat. Er tut dies jedoch auf eine ihm eigene Art: Fagons "Lump" und "Schuft" (XII, 104) werden vom König in "Nichtswürdiger" oder "Niederträchtiger" (XII, 103f.) umgewandelt, wobei der König seiner Zuhörerin zu verstehen gibt - mit einem Zucken in den Mundwinkeln -, dass seine eigene "königliche" Variante sich von Fagons ursprünglich gewählten Ausdrücken unterscheidet. Er gibt somit zu, dass sich seine eigene Sprechweise vom Wahrheitsgehalt differenziert; es ist auch das einzige Mal in der Novelle, da der König ein klein wenig Selbstironie bekundet, indem er nämlich mit diesen Euphemismen seinen eigenen Stil parodiert. Auch Fagon greift ironisch zum Euphemismus. Der König meinte, es sei ein Märchen, dass Tellier, wie Fagon behaupte, den Knaben "gemordet" (XII, 105) habe. Fagon ist es jedoch durchaus ernst mit seiner Anklage, und die Art und Weise, wie er sie nun umformuliert, ist Parodie des königlichen Stils und höhnische Konzession an den königlichen guten Geschmack: "Sagen wir: er hat ihn unter den Boden gebracht", eine Formulierung, womit sich der König mehr oder weniger zufrieden zeigt. Fagons Euphemismus ist deswegen ironisch, weil ihn der König mit der Wahrheit identifiziert, während er den einfacheren, freilich auch heftigeren Ausdruck "gemordet" als Märchen, als Unwahrheit abtut. Mit seinem Hohn bekundet Fagon, dass es im Grunde genommen keine Rolle spielt, ob Tellier den Knaben "gemordet" oder "unter den Boden gebracht" hat, und dass sich der König über den Inhalt der Aussage und nicht ihre Form Gedanken machen sollte.

Mit dem umgekehrten Ausdruck wird die Ironie als jenes rednerische Mittel benutzt, welches, wie Goethe es einmal formulierte, "das Tadelnswürdige lobt und das Lobenswürdige tadelt". Hierzu gehört zum Beispiel eines der Lobwörter Moutons: "Viehkerl" (XII, 122), so nennt er in rühmender Weise den Herzog von Vendôme und die alten Ägypter, weil sie den Stier göttlich verehrten: "Gescheite Leute das, Viehkerle!" (XII, 125).[16] Mit deutlich ironischer Tendenz bedient sich Fagon des umgekehrten Ausdrucks. Die Bilder Moutons seien ein "Nichts" (XII, 124), weil sie in ihrer Ursprünglichkeit und Einfachheit des Gegenstandes dem Geschmack des Hofes nicht entsprechen. Man hat darin, ohne Fagons ironisches _understatement_ herauszuspüren, Meyers Kritik an Fagons Kunstgeschmack erkennen wollen.[17] Fagon selber lässt sich aber von Mouton "ein stilles Zimmer mit seinen scheuenden Pferden oder saufenden Kühen bevölker(n)" (XII, 123). Es wird also mit dem "Nichts" nur ironisch das herabgesetzt, was er im Grunde genommen liebt und schätzt, selbst wenn es - oder vielleicht _weil_ es - dem Hofgeschmack widerspricht. - Dem hingegen kann Fagon aber auch einen positiven Ausdruck finden für etwas, was er innerlich ablehnt; zum Beispiel, wenn er den Jesuitenorden in Orleans als "das fromme Haus" (XII, 116) und ihr Schelmstück als "eine saubere Geschichte" (XII, 118) bezeichnet.[18] Hier sollten auch die Anreden an den König als "einen Kenner der Menschenherzen" und als "Kenner der Wirklichkeit" (XII, 119f.) erwähnt werden. Sie sind völlig ironisch gemeint, hat doch Fagon eben erkannt, wie schlecht der König den Charakter Telliers einzuschätzen versteht und wie abgeneigt der Monarch ist, der Wirklichkeit ins Gesicht zu schauen. Fagons Übertreibungen und sein verallgemeinerndes Kompliment, der König sei für ihn "wie für jeden Franzosen das Gesetz in Dingen des Anstandes" (XII, 121) sind ebenso ironische Seitenhiebe: er widerlegt unmittelbar danach seine schmeichelnde Behauptung, indem er nämlich Mouton einführt, einen Franzosen also, der vielleicht nicht einmal den Namen des Königs kennt und der sich sowohl in seiner Kunst als auch in seinem Lebensstil in keiner Weise vom Hof beeinflussen lässt (XII, 122). Der ironische Effekt von Fagons Worten wird hier noch durch good timing, d.h. durch die schroffe Gegenüberstellung zweier rasch aufeinanderfolgender sich aber durchaus widersprechender Beobachtungen - der König als Beispiel für jeden Franzosen und Mouton, der sich nicht um ihn schert - wesentlich gesteigert. Ebenso ironisch ist Fagons Behauptung, dass die Gräfin Mimeure den König "grenzenlos" (XII, 129) verehre. Denn später erfahren wir, dass sie, die sich persönlich bei Ludwig für Julian einsetzen würde, falls Fagon es nicht selber täte, sich folgenderweise ausgedrückt habe:

> "...dann stelze ich an dieser Krücke nach Versailles und bringe...die Sache an den hier!" und sie wies auf deine lorbeerbekränzte Büste, Majestät. (XII, 134; meine Hervorhebung)

Der Gebrauch des burschikos klingenden Demonstrativums ("den hier") statt des königlichen Namens oder Titels zeigt meiner Meinung nach ganz deutlich, dass Fagons frühere Behauptung über die "grenzenlose Verehrung" eine ironische Übertreibung ist.

Der vieldeutige Ausdruck tritt einem am offensichtlichsten in dem Kalauer bête à miel und bête Amiel entgegen. Ein scheinbar harmloser Ausdruck kann gleichzeitig auch eine Gemeinheit - so albern das Wortspiel im Grunde genommen ist - enthalten. Meyer will uns daran erinnern, dass man sich auf die Allgemeinverbindlichkeit der Sprache nicht verlassen kann. Denn mit diesem Kalauer weist er doch auf die Doppelbödigkeit der Sprache hin. Das Wortspiel zeigt klar, dass das lautlich Eindeutige je nach seiner sprachmorphologischen Struktur inhaltlich verschiedene Bedeutungen hat. Kittler spricht in dem Zusammenhang mit Recht von der "interne(n) Multidimensionalität der Sprache".[19] Auch der Name "Mouton" ist hier zu erwähnen, der sowohl von einem Menschen, genauer einem "Halbmenschen" als von einem Hund getragen und im Grunde in seiner Bedeutung von "Schaf" weder dem einen noch dem anderen gerecht wird.[20] Vieldeutig ist Fagons rhetorische Frage an Julian, ob denn nicht alle Menschen auf etwas verzichten müssen:

> "Verzichtet nicht jedermann", scherzte ich, "selbst deine Gönnerin, Frau von Maintenon, selbst der König auf einen Schmuck oder eine Provinz? Habe ich, Fagon, nicht ebenfalls verzichtet, vielleicht bitterer als du, wenn auch auf meine eigene Weise?..." (XII, 140)

Dem unglücklichen Knaben, nicht aber Fagon, entgeht die abgründige Ironie vollkommen; ja, die Frage vermag Julian sogar zu trösten, denn in der Tat haben ja alle zu verzichten. Fagon weiss nur zu gut, dass es vor allem darauf ankommt, worauf der Mensch verzichten muss, und dass der Verzicht der Maintenon auf irgend einen Schmuck, der Verzicht des Königs auf irgendeine Provinz in keinem Verhältnis stehen zu Julians Verzichten-Müssen auf das Glück oder Fagons Verzichten-Müssen auf die Liebe schlechthin.[21] Vieldeutig ist auch die Bemerkung Fagons von Julians "Golgatha bei den Jesuiten" (XII, 156). Auf der Oberfläche meint Fagon damit einfach das Leiden Julians im Kollegium. Doch Fagon sagt mit dieser Bemerkung wesentlich mehr aus. Er spielt damit auf Julians imitatio Christi an, die ich abschliessend besprechen möchte; "das Golgatha bei den Jesuiten" bedeutet ganz krass, wie Heinz Hillmann bemerkt hat, den Tod Jesu herbeigeführt durch die Jesuiten![22]

Mit der tragischen Ironie hat Meyer auf die Bedingtheit oder Blindheit des Menschen verweisen wollen gegenüber allen möglichen Mächten, die ihn beeinflussen oder beherrschen. Die unbewusst ironische Bemerkung lässt den Menschen als Opfer der Umstände erscheinen, und die ironische Sprache zeigt, wie der Mensch in einer vieldeutigen Welt manipuliert wird. - Bei der direkten Ironie liegt das umgekehrte Verhältnis zwischen Mensch und Welt vor. Der Sprecher sagt bewusst etwas, was der Wahrheit widerspricht; er beherrscht die Sprache souverän; er manipuliert die Sprache und mit ihr die Menschenwelt. Zwar weiss auch der Mensch, der sich der direkten Ironie bedient, um die Vieldeutigkeit der Welt (die ja zum grossen Teil durch die Polyvalenz des menschlichen Kommunikationsmittel - der Sprache also - erzeugt wird) und leidet sogar darunter; aber durch den Gebrauch ironischer Techniken begegnet er ihr, sucht sie zu überlisten und sich zu Nutzen zu machen. Und mit diesen diversen Abarten der ironischen Rede hat Meyer letztlich auch das höchst fragwürdige und labile Verhältnis von Sprache und Wahrheit zum Ausdruck bringen wollen.

Fagon, Mouton und Molière

Fagon ist die einzige Gestalt in der Novelle, die sich frei in den beiden entgegengesetzten Welten bewegt, am Hof und in seinem botanischen Garten. Er unterscheidet sich darin einerseits von der Gräfin Mimeure, die sich seit Jahrzehnten nicht mehr an den Hof begeben hat, weil sie den Schönheitssinn des Königs nicht beleidigen wollte (XII, 129); andererseits vom König, der zwar versprochen hatte, Fagon in der chemischen Küche seines Gartens zu besuchen, aber seinem Versprechen nie nachgekommen ist (XII,

116). Julian gehört zwar wie Fagon beiden Welten an, doch ist ihm die eine zur Qual und die andere zum Refugium geworden.

Fagon, in zwei Welten lebend und in keiner voll beheimatet, ist der echt ironisch distanzierte Beobachter.[23] Sprachlich äussert sich seine ironische Zwischenstellung darin, dass er sich aller in der Novelle vertretenen Sprachformen zu bedienen vermag, ohne sich je mit der einen oder andern voll zu identifizieren. Als Ironiker versucht er Sprache mit allen Mitteln zu bewegen, um letzten Endes der Wahrheit doch zu ihrem Recht zu verhelfen.

Fagon möchte die Wahrheit aufdecken, "von einer blutigen Tatsache...unversehens das verhüllende Tuch wegziehen"; aber um dies zu vollbringen, greift er paradoxerweise immer wieder zum "Schleier", obschon er ihn im Wortstreit mit Ludwig entschieden ablehnt. Er spricht meist als ein kühl Beobachtender; doch im Zorn übertreibt Fagon: wo seine Gefühle überhand nehmen, da setzen sich seine sprachlichen Formen vom Wahrheitsgehalt ab (XII, 104, 119). Er ist Wissenschaftler, verfällt jedoch hin und wieder in den Predigtton. Vor allem ist Fagon ein Meister der ironischen Rede, und wie schon aus dem vorangehenden Abschnitt zu ersehen ist, weiss er ihre sämtlichen Register zu ziehen. Etliche ironische Strategien, die bisher unberücksichtigt blieben, weil in der Novelle ausschliesslich Fagon sie einsetzt, sollen nunmehr näher untersucht werden:

Die folgenden Beispiele zeigen Fagon in der <u>Rolle</u> des naiv Unschuldigen:

> ...Sire, trage ich die Schuld, wenn die Einbildungskraft der Väter Jesuiten das Reinste ins Zweideutige umarbeitet: (XII, 146)

Wie bereits erwähnt, rechnete Fagon genau damit, dass die Jesuiten das Eindeutige ins Zweideutige verwandeln. Ironisch ist auch, dass Fagon sich gewissermassen selber auf die Bühne bringt,[24] in Gestalt eines naiven, ehrlichen und völlig unschuldigen Vormundes für Julian. Ganz ähnlich verhält es sich mit der folgenden Stelle:

> ...Mouton der Mensch soff gebranntes Wasser, was zu berichten ich vergessen oder vor der Majestät mich geschämt habe. (XII, 134f.)

Warum er es nicht früher erwähnt hatte, lässt Fagon hier absichtlich offen. Vielleicht aus Vergesslichkeit, vielleicht aus Scham. Immerhin: er hat dem König ja früher schon schockierende Einzelheiten über Mouton zum Besten gegeben, sodass die Scham als Motiv auszuschliessen ist.[25] Fagon <u>gibt vor</u>, eine Erklärung zu bieten.

Diese ist aber weder eindeutig noch liefert sie den wahren Grund für die Erwähnung von Moutons Trunksucht. Die ganze Erklär-Strategie erweist sich als Täuschung und Verwirrungsmanöver. Würde Fagon sich tatsächlich schämen, könnte er dieses Detail ohne weiteres wegfallen lassen. Seine Bemerkung ist nichts anderes als ein ironischer Seitenhieb, der es ihm ermöglicht, Ludwig an eine weitere Unschönheit des Lebens zu erinnern.

Eine weitere ironische Taktik Fagons ist die sogenannte *ingénu*-Ironie. D. C. Muecke definiert sie folgendermassen:

> ...a simpleton is created who is not the ironist, although without knowing it, he acts on his behalf....
> The *ingénu* may ask questions or make comments the full import of which he does not realize. The effectiveness of this ironical mode comes from its economy of means; mere common sense or even simple innocence or ignorance may suffice to see through the complexities of hypocrisy or expose the irrationality of prejudice.[26]

Genau genommen ist die Einführung der Gestalten von Mouton I und Mouton II überhaupt unnötig, um dem König die Geschichte von den Leiden Julians und den Grausamkeiten Telliers zu erzählen: wer den königlichen Sinn fürs Ästhetische konsequent respektieren wollte, brauchte die Einzelheiten aus dem botanischen Garten nicht so auszumalen, wie Fagon es tut, um den Verlauf der Ereignisse, die zu Julians Tod führen, lückenlos und logisch zu berichten. Doch sind Mouton I und II insofern von hervorragender Bedeutung in der Struktur der Novelle, als sie rein ironische Funktion haben. Fagon führt mit der Gestalt Moutons einen echten *ingénu* ein, der es ihm ermöglicht, der Scheinwelt und verzärtelten Atmosphäre des Hofes einen Zerrspiegel entgegenzuhalten, der sie zur Selbstbesinnung führen soll. Mit dem Mouton-Komplex verfolgt Fagon meiner Ansicht nach zwei Hauptabsichten: erstens erinnert uns die Mouton-Gestalt an das Kreatürliche im Menschen; zweitens macht Fagon deutlich, dass Moutons kulturlose Welt nicht per definitionem eine unmoralische Welt ist.

Um zu zeigen, dass die Naturhaftigkeit des Menschen, ja das Atavistische in ihm zu seinem Wesen gehört und nicht einfach verdrängt werden kann, greift Fagon zur Beschreibung seiner Mitmenschen nach Tiernamen und Vergleichen mit tierhaftem Verhalten. Er wendet eine ganze Reihe von Zeitwörtern, die gewöhnlich tierisches Benehmen charakterisieren, auf menschliches Verhalten an; zum Beispiel "saufen" (XII, 135), "schnappen" (XII, 141), "beschnüffeln" (XII, 144), "blecken" (XII, 149), "heulen" und "schäumen" (XII, 150). Im höfischen Milieu schafft Fagon mit diesen, auf Menschen bezogenen Tiervokabeln eine ironische Spannung, die den König und uns zur Kritik auffordert, unbehaglich stimmt. Die völlige Vertierung Moutons am Ende seines Lebens beschreibt Fagon wissenschaftlich neutral:

> Ich beobachtete ihn..., wie er...mit hündischer Miene gähnte oder schnellen Maules nach Fliegen schnappte,... (XII, 141)

Mouton verendet auch wie ein Tier:

> ...er...kehrte das Gesicht gegen die Wand und war fertig. (XII, 141)

Scheinbar objektiv beobachtend beschreibt Fagon das tierische Verhalten seiner Mitmenschen; im Grunde genommen rächt er sich mit jedem dieser Worte am König, denn Fagon weiss sehr gut, dass die zoologische Sprachebene unköniglich und unhöflich ist. Er will Ludwig zeigen, dass das Tierische keineswegs nur an den Garten gebunden ist. Fagon geht es vor allem darum, auf dem Umweg über Mouton das Naturhaft-Atavistische auch anderswo zu entlarven: etwa in Pater Amiel, der ganz Nase ist; vornehmlich jedoch in entsetzlichster Ausartung am Hofe selbst: denn dort hat sich in der Gestalt des Beichtvaters ein wildes Tier, "ein Wolf" eingeschlichen!

Der Tiername des Malers ist symbolisch für jene Lebenshaltung, die der Gesellschaft den Rücken kehrt und auf die Grenzen zwischen Mensch und Tier, Zivilisation und Natur verzichtet;[27] die Welt Moutons, die also ausserhalb jeglicher gesellschaftlichen Bindung oder Verpflichtung steht, repräsentiert die absolute Antithese zur Hofkultur.[28] Mouton vertritt aber mehr als die ins Groteske verzerrte Kehrseite der manierierten Hofwelt: Durch die Welt Moutons zeigt Fagon auch, dass dieser naturhaften, von der Kultur unabhängigen Daseinsform eine "humane" Dimension zuzubilligen ist. Im Kontrast zur Geilheit der Höflinge darf in Moutons "Revier" die reine Zuneigung zweier junger Menschen blühen (XII, 132); ein Hund erweist sich als klug und treu; Mouton I, dieser barocke <u>clochard</u> schadet niemandem ausser sich selbst, er ist der freieste von allen, der einzige reine Individualist. Früher als Fagon oder auch die Gräfin Mimeure versteht er, wie seine Pentheus-Skizze zeigt, die Not Julians am klarsten. Die zivilisierte Welt hingegen erweist sich als erbarmungslos: von ihr stammen die diffamierenden Namen, die ein Leben vergiften können; in ihr werden Leute durch Gewalt zum Glaubensübertritt gezwungen; ein christlicher "Wolf" ermordet einen Knaben und wird belohnt.

Unmittelbare Kritik an dieser zivilisierten Gesellschaft ist Fagon untersagt; sie wäre dem König - wie seine Rede über den eigenen Vater - zu "nackt und grausam". Darum bedient sich Fagon der Ironie, des indirekten Darstellens und führt den ingénu Mouton ein, eine Kontrastfigur aus seiner Gartenwelt, die allein durch ihr Dasein die Heuchelei des Hofes blosstellt. Die Welt Moutons gibt Anlass, indirekt auszusagen, dass einerseits auch in der scheinbar "feinen" Hofwelt unterschwellig Grobes und Animalisches existiert; dass andererseits die am Hofe abhanden gekommene Humanität sich in der Garten- und Tierwelt zu behaupten vermag.

Die tiefste und auch bedeutendste Schicht von Fagons Ironie lässt Meyer meiner Auffassung nach in Fagons Verhältnis zu Molière zum Ausdruck kommen. - Molière ist Fagons literarisches Vorbild. Beiden gemeinsam ist die Selbstironie (XII, 108, 140). Nicht nur Molière sondern auch Fagon versuchen das Verkehrte in der Welt in ein höhnisches Licht zu rücken, um ihr Publikum auf die Wahrheit hinzulenken.[29] Fagon deutet an, dass Molière deshalb ein so grossartiger Spötter gewesen sei, weil er alles "so naturwahr und sachlich" (XII, 110) dargestellt habe; dasselbe Programm verkündet Fagon, wenn er meint, man müsse die unschönen Wahrheiten darstellen, wie sie sind. Bezeichnenderweise hat sich der König, der das Unschöne verhüllen will, von "d(er) dreiste(n) Muse Molières" (XII, 101) längst abgewendet. Gleich eingangs, im zweiten Absatz fällt Molières Name und geistert dann bis zum Schluss in der Welt dieser Novelle herum. Mehrere seiner Komödien werden direkt erwähnt oder es finden sich Anspielungen auf sie;[30] ja, Fagon kann sogar ganze Reden auswendig zitieren! (XII, 109). In Anbetracht dieser Tatsachen ist es umso erstaunlicher, dass Fagon diejenige Komödie, welche der Leidensgeschichte thematisch am nächsten steht und auch Fagons Absicht - Entlarvung Telliers - präfiguriert, mit keinem einzigen Wort erwähnt: Molières Komödie Le Tartuffe. Wie ich hier zeigen möchte, lässt Meyer, gerade indem er diesen Titel und Namen verschweigt, Fagons Ironie triumphierend zum Ausdruck kommen.

Mit seiner Geschichte vom Leiden eines Knaben gestaltet Fagon die Komödie des verstorbenen Molière so um, dass sie der Wahrheit entspricht, der Wahrheit, wie sie Molière sich nicht leisten konnte. Tartuffe war ein Sorgenkind Molières. In der ursprünglichen Fassung, die noch unvollendet bei einem Hoffest in Versailles (1664) aufgeführt wurde, war der Titelheld ein heuchlerischer Geistlicher, der die Frau seines Gastgebers verführen will. Es kam zum Theaterskandal: man warf Molière Gottlosigkeit vor, wo er doch lediglich die Heuchelei eines Geistlichen nicht aber

echte Frömmigkeit verspotten wollte. Weitere Aufführungen musste der König verbieten. - In den folgenden fünf Jahren änderte Molière die ursprüngliche Fassung: der Titelheld wurde ein frömmelnder Laie, der mit seiner Heuchelei eine Familie an den Rand des Unglücks bringen würde, wenn nicht ganz am Schluss noch Ludwig XIV. als ein _deus ex machina_ die Gerechtigkeit wieder herstellen, die Guten belohnen und den Schurken bestrafen würde. Zudem schrieb Molière mehrere Bittschriften, in denen er den Monarchen um Verständnis bat und ihn um die Erlaubnis anging, das Stück in seiner neuen, gedämpfteren Form aufführen zu dürfen. Fünf Jahre nach der verfehlten Premiere der frühen Fassung war der neue _Tartuffe_ endlich bühnenreif. Tellier ist eine Tartuffe-Gestalt, wie Molière sie ursprünglich geschaffen hatte: der grausame Heuchler _im geistlichen Gewand_; nur dass eben bei Fagon, der nicht eine Komödie schreibt, sondern die Wahrheit berichten will, die Ereignisse tragisch ausmünden. Dabei geht es um "Wahrheit" im doppelten Sinn: Fagon konzipiert kein Theaterstück; er berichtet, was sich in Wirklichkeit zugetragen hat; ferner, wie noch zu zeigen gilt, glaubt er auch nicht an das Ende der Molièreschen Komödie. - Fagon kann nicht nur Reden aus Molières _Malade imaginaire_ auswendig; er hat auch Molières Vorwort zur _Tartuffe_-Ausgabe von 1669 gelesen,[31] in der es heisst:

> Et, en effet, puisqu'on doit discourir des choses et non pas des mots, et que la plupart des contrariétés viennet de ne pas entendre et d'envelopper dans un même mot des choses opposées, il ne faut qu'ôter le voile de l'équivoque, et regarder ce qu'est la comédie en soi, pour voir si elle est condamnable.[32]

Molière äussert sich lediglich über die Moralität seiner so umstrittenen Komödie. Fagon - und dahinter natürlich Meyer - entlehnen und weiten Molières Gedankengang so aus, dass sie ihn auf das Problem der Wahrheit allgemein beziehen. Nach Molière muss man den Schleier sprachlicher Zweideutigkeit abziehen und die Komödie an sich betrachten: das hat auch Fagon im Sinn, wenn er der Forderung des Königs "Unselige Dinge verlangen einen Schleier!" (XII, 121) widerspricht und fordert, dass man selbst ihnen das verhüllende Tuch wegziehen müsse, um die Dinge so zu sehen, wie sie sind. Überdies hatte Fagon in der Diskussion darum, ob Tellier den Knaben "gemordet" oder "unter den Boden gebracht" habe, implizit seine Empörung ausgedrückt, dass der König sich über "Worte" statt "Sachen" aufhält.

Fagon kennt auch die Molièresche Preisrede auf den König im letzten Akt von _Tartuffe_, und er paraphrasiert mit tödlicher Iro-

nie eine Stelle daraus:

> Nous vivons sous un prince ennemi de la fraude,
> Un prince dont les yeux se font jour dans les coeurs,
> Et que ne peut tromper tout l'art des imposteurs.
> D'un fin discernement sa grande âme pourvue
> Sur les choses toujours jette une droite vue;
> Chez elle jamais rien ne surprend trop d'accès,
> Et sa ferme raison ne tombe en nul excès.
> Il donne aux gens de bien une gloire immortelle;
> Mais sans aveuglement il fait briller ce zèle,
> Et l'amour pour les vrais ne ferme point son coeur
> A tout ce que les faux doivent donner d'horreur.[33]

In Molières Komödie wird der Schurke durchschaut und bestraft. Was für ein "Kenner der Menschenherzen" (XII, 119), was für ein "Kenner der Wirklichkeit" (XII, 120) ist hingegen Fagons König, dessen Augen die Herzen seiner Mitmenschen eben nicht zu durchleuchten vermögen. In diesem Gespräch über die Zwangsbekehrungen geht Fagon plötzlich auf, dass der König eine Lüge lebt:

> Entsetzen starrte aus seinen Augen über diesen Gipfel der Verblendung (vergl. "sans aveuglement"), diese Mauer des Vorurteils (vergl. "une droite vue"), diese gänzliche Vernichtung der Wahrheit (vergl. "l'amour pour les vrais"). (XII, 120)

In Fagons Reaktion auf die Verblendung seines Königs verkehrt sich Molières Tugendkatalog in sein Gegenteil. Das ironische Paradox der Fagonschen Strategie beruht darauf, dass er, der für offene Sprache plädierte, sich die Maske Moutons und Molières vorhalten muss, um die Wahrheit zu enthüllen. Indirekt will Fagon sagen, dass der König nur als Gestalt in Molières Komödie wie ein deus ex machina die Guten belohnt und die Bösen bestraft, während die Dinge ausserhalb der Molièreschen Fiktion, spezifisch hier in der Welt Julians, ganz anders aussehen.

Anhand der Gestalt Fagons hat Meyer gezeigt, dass in einer Welt des Truges die Wahrheit bisweilen nur noch auf dem Weg der "Unwahrheit", d.h. der Ironie ausgedrückt werden kann. Doch geht Meyer noch einen Schritt weiter. Trotz des traurigen Todes des Knaben ist Fagon am Ende der Novelle "heiter" (XII, 157). Seine Heiterkeit wird durch eine Scheinwahrheit hervorgebracht, obgleich es von Fagon einmal hiess, er sei der "redlichste(n) Mann" Frankreichs (XII, 112). Es sind lediglich die Worte des Marschalls, die dem Jungen den schönen Schein des Schlachtfeldes vorgaukeln. In der Agonie glaubte Julian für den König zu kämpfen und zu sterben. Dass er hingegangen sei "als ein Held" beruht also auf einer Illusion, und doch ist diese der Grund für Fagons Heiterkeit. Von seiner ironischen Position aus gibt Fagon am Ende der Novelle zu verstehen, dass es Augenblicke geben kann, wo man das verhüllende Tuch nicht wegziehen darf: dann nämlich, wenn der Schleier, wenn der schöne Schein, oder einfacher: wenn ein "unwahres" Wort menschliches Leiden zu lindern oder gar zu überwinden hilft.[34] Fagon scheidet also deutlich zwei Formen und Funktionen indirekten oder "verkehrten" Sagens: in seiner Erscheinung als eigensüchtige, böswillige Täuschung ist es negativ; hingegen ist "verkehrtes" Sagen als Mittel der Wahrheitssuche oder humaner Linderung positiv zu werten, und diese zweite, Fagonsche Ausprägung wird auch von Meyer gefordert und sanktioniert.

Den König von seinem Vorhaben abzuhalten, vermochte Fagons Geschichte nicht. Die Sprache und die Einsichten des ironisch distanzierten Menschen, der das Verkehrte erkennt und richtig stellen möchte, verändern den Lauf der Geschichte nicht. Und dennoch sind überhaupt die einzigen positiven Ergebnisse der Novelle auf sprach-ironische Techniken zurückzuführen: das der Tierwelt angehörige, dem Hof unangemessene Sprachfeld erinnert den Kulturmenschen an seinen naturhaften Ursprung; die Befehle des Marschalls erleichtern seinem Kind das Sterben; und Molières Worte, von Fagon entlehnt und ironisch eingesetzt, erzählen der Nachwelt wenigstens die Wahrheit über diesen König.

Meyers Sprachskepsis als Spiegel seiner Weltanschauung im Leiden eines Knaben

Im Leiden eines Knaben hat Meyer das Phänomen der Sprache als zuverlässiges Medium menschlicher Verständigung ironisiert, indem er Sprache in Sprachen zersetzt und sprachliche Allgemeinverbindlichkeit von allem Anfang an in Frage stellt. Die Welt wird subjektiv erfahren; und das subjektive Welterlebnis findet seinen entsprechenden Niederschlag in individuellem Sprachverhalten. Menschen mit verschiedenen Wahrheitserfahrungen und Verständigungsmitteln versuchen miteinander zu kommunizieren - mit allen möglichen Ausdrucksweisen, mit Sprache, aber auch ohne Sprache: mit Gesten und Zeichen - und gehen im kritischen Augenblick fehl. Die vorangehenden Beobachtungen haben gezeigt, dass Meyers Sprachskepsis tiefe Spuren in diesem Werk hinterlassen hat. Auch der Glaube an die Sprache steht unter dem Vorzeichen des Ironischen, denn Julian glaubt an eine Illusion. Die Rede von der Glaubwürdigkeit der Dinge ist unzulänglich; denn mit Sprache lässt sich nur auf Umwegen und auch dann nur bedingt an die Wahrheit herankommen, weil eben auch letztere nur subjektiv erfahrbar ist.

Der Pluralismus der Sprache im Leiden eines Knaben reflektiert die Zersplitterung der menschlichen wie der göttlichen Einrichtungen. - Julian Boufflers weist in einem Gespräch mit Fagon darauf hin, dass der Heiland an der Mauer des Jesuitenkollegiums hängt: "Gott der Heiland, der in die Welt gekommen ist, um Gerechtigkeit gegen alle und Milde gegen die Schwachen zu lehren" (XII, 138). Und doch fällt in der Novelle gerade Julian, ein ganz und gar unschuldiger und schwacher Mensch, der masslosen Ungerechtigkeit und Rachsucht eines Dieners Gottes zum Opfer. Gerechtigkeit gegen alle waltet in der Welt dieses Knaben ganz offensichtlich nicht. Vielmehr weist die Tatsache, dass der Junge stirbt und Tellier, sein Peiniger, nicht nur ungestraft davon kommt, sondern auch noch Beichtvater des Königs selbst wird, auf eine tiefe Widersprüchlichkeit hin. Gott hat Guntram "Kriegslust und Blindheit", Julian "einen Körper ohne Geist" gegeben (XII, 137). Ohne hierin einen grausamen Witz Gottes zu sehen, ohne in Hohn, wie er seinem Freund Guntram eigen ist, auszubrechen, kann Julian sich diese Widersprüchlichkeit und Unzulänglichkeit der Schöpfung nur dadurch erklären, dass der willige und gütige Gott einfach nicht immer über die Macht verfügt, den Schwachen zu helfen (XII, 138). Fagon versucht den Jungen mit seinem Schicksal zu versöhnen, greift nun seinerseits das Problem der Gerechtigkeit auf und tröstet Julian damit, dass sein Name im Buch der Gerechten stehen werde, gehöre doch das Himmelreich den Armen im Geiste (XII, 139). Julian, der vom Heiland sprach, der in diese Welt gekommen sei um Gerechtigkeit zu lehren, fällt der Ungerechtigkeit dieser Welt zum Opfer. Sein Leben wird von Meyer bewusst als imitatio Christi dargestellt;[35] doch folgt der Passion Julians keine Auferstehung. Voll tiefer Ironie hat der Dichter hier eine Welt umrissen, in der alles und jeder irgendwie beschränkt und unzulänglich ist: Da ist Gott der Allmächtige selbst, empfunden als einer, der nicht immer die Macht hat, so zu tun und handeln, wie er möchte. Da ist sein Stellvertreter auf Erden, der "Allerchristlichste" (XII, 153), der in seiner Verblendung nicht wahrhaben kann, dass seine Regierung nicht vollkommen ist; da ist der körperlich behinderte Arzt Fagon, der das Elend des Knaben nicht rechtzeitig erfassen und mit seiner Hilfe zu spät kommen wird; Fagon, der Julian Gerechtigkeit im Jenseits verspricht und sich vor dem König doch so deutlich für die Gerechtigkeit in dieser Welt ereifert. Da ist Julian, der "bel idiot", der manches ebenso gut und weniges vielleicht sogar besser erfasst hat, als sein Vormund; da sind Mouton I und II, ein Halbmensch und ein Halbtier, zwischen denen zumindest der Name keinen Unterschied mehr macht. Im Leiden eines Knaben hat Meyer die Diskrepanz zwischen Sein und Schein aufgedeckt; die Widersprüche bleiben ungelöst, und eine scheinbar unumstössliche Hierarchie - Gott, König, Philosoph, Narr und Tier - ist ins Wanken geraten. Der Leser wird Zeuge einer durchgehenden Verkehrung, die nicht nur die menschlichen sondern auch die göttlichen Einrichtungen miteinbezieht. Diese allgemeine Unzulänglichkeit findet ihren Niederschlag in einem sorgfältig orchestrierten Pluralismus der Sprachebenen, die sich gegenseitig reiben und in Frage stellen und die am Wahrheitsgehalt einer Sache aus dem einen oder andern Grund, bald mehr bald weniger, bewusst oder unbewusst vorbeigleiten.

III. IRONISCHES ERZÄHLEN

In allen seinen Rahmenerzählungen hat C. F. Meyer richtiges Sprechen, Berichten und Erzählen als akutes Problem aufgeworfen. Plautus im Nonnenkloster und Die Hochzeit des Mönchs unterscheiden sich von Meyers anderen Rahmennovellen unter anderem dadurch, dass die Erzählergestalten Dichter sind, Fachleute also, die derselben Zunft zugehören wie Meyer. Wenn in diesen zwei Novellen der Erzähler und der Prozess des Erzählens ironisiert werden, so schwingt stärker als in seinen anderen Novellen immer auch Selbstironie und Kritik am eigenen Handwerk mit.

Abgesehen vom Beruf haben die beiden Erzähler, Dante und Poggio, einige wichtige Eigenschaften gemein: Sie sind beide empfindlich; sie sind beide distanziert von der Gesellschaft, in der sie leben und gehören zwei verschiedenen Welten an. Beide können ironisch sein und ironische Kunstmittel in ihren Erzählstil einbauen. Aber auch die Unterschiede zwischen Poggio und Dante, auf die ich an dieser Stelle nicht in allen Einzelheiten eingehen möchte, erweisen sich als wesentlich. Vorläufig sei nur kurz angedeutet, dass Poggio der Verfasser von Fazetien, von amüsanten und anzüglichen Geschichtchen ist; der historische Dante hingegen der Schöpfer eines Epos, das den Höhepunkt religiöser Dichtung des Mittelalters überhaupt darstellt. Poggio erzählt eine kleine Begebenheit, in deren Mittelpunkt er vor Jahren selber gestanden hat; Dante jedoch extemporiert. Während sie beide zwar mit der Ironie vertraut sind und sie auch bewusst einsetzen, so verfolgen sie damit aber sehr verschiedene Absichten, von denen im Schlusskapitel noch die Rede sein muss.

1. Die Ironisierung des Erzählers: Plautus im Nonnenkloster

In einem Brief an seinen Vetter Fritz von Wyss, dem die Novelle Plautus im Nonnenkloster sowohl vom moralischen als auch vom aesthetischen Standpunkt missfallen hatte, bekundet sich, was wir schon an anderen Werken C. F. Meyers beobachtet haben, nämlich der Hang des Dichters zur antithetischen Formulierung und Struktur:

> In den drei Figuren sind die drei hist. Bedingungen der Reformation, in komischer Maske verkörpert: Die Verweltlichung des hohen Klerus (Poggio der wahre Typus des Humanisten: Geist, Leichtsinn, Nachäffung und übertriebene Schätzung der Antike, Unwahrheit, Rachsucht (er "kreidet" es der Äbtissin "an"), Diebstahl und Bettelei (die "Beschenkg" des Cosmus, letzte pag.),
>
> die Verthierung der niedrigen Geistlichkeit, das "Brig." Sie steht als die grobe mit der feinen Lüge des Poggio im Gegensatz. Die beiden, die sich gegenseitig Ihre Wahrheiten sagen, stehen im Gegensatz mit dem ehrlichen Fond in der deutschen Volksnatur (Gertrude), ohne welchen die Reformation eine Unmöglichkeit gewesen wäre.[1]

Was die Gesamtstruktur der Novelle betrifft, so wird zunächst in Poggio die feine Lüge der groben Lüge des Brigittchen gegenübergestellt; und dann Poggio und Brigittchen zusammen der einfachen Gertrude, d.h. also die Verlogenheit der Geistlichkeit schlechthin dem "ehrlichen Fond der deutschen Volksnatur". Insofern die Personen auch Träger einer Kulturepoche sind, werden Renaissance und Reformation von Meyer als Gegensätze aufgestellt.[2] Kurzum: die für Meyer so bezeichnende Tendenz zur Polarisierung herrscht auch in Plautus im Nonnenkloster vor.

Zu den von Meyer im Brief an Fritz von Wyss selber aufgestellten Gegensätzen von feiner und grober Lüge, von verlogenen Geistlichen und ehrlichen Laien gesellt sich ein weiteres: der Gegensatz oder Widerspruch in Poggio selber, der in der völlig negativen, auf von Wyss abgestimmten Charakterskizze nicht zum Ausdruck gelangt ist. Dieser Widerspruch in ihm selber stempelt ihn zum Ironiker, und er betrachtet - obzwar Kind seiner Zeit - die Umwelt aus der distanziert ironischen Warte aus. -

In Conrad Ferdinand Meyers Novelle Plautus im Nonnekloster lassen sich also zwei Ebenen der Ironie beobachten: diejenige des Poggio und die des Autors gegenüber seinem Poggio. Im Folgenden soll untersucht werden, wie Meyer Poggio als Ironiker dargestellt hat und mit welchen Mitteln er den Ironiker ironisiert; schliesslich muss ermittelt werden, warum Meyer in dieser Novelle einen ironischen Erzähler, will sagen einen Zunftgenossen seiner ironischen Kritik unterzieht.

Poggio der Ironiker

Poggio ist der Humanist, in dem weltliche und geistliche Elemente sich vereinen, der sich zur Welt des Schönen hingezogen fühlt und ihr auch zugehört, ohne jedoch den Bereich des Ethischen ganz zu ignorieren. Poggio nimmt eine Zwischenstellung ein: er ist in beiden Welten beheimatet, ohne aber der einen oder anderen vorbehaltlos angehören zu können. So ist denn zum Beispiel sein Ausdruck "ein seltsam gemischter" (XII, 133); er ist der Verfasser der Facetien, deren "schlanke(n) Wendungen einer glücklichen Form" vereint mit dem schlüpferigen Inhalt seinem fürstlichen Gönner, Cosmus Medici, sehr gefallen; er ist zugleich aber auch der sich grämende Vater, der die eigenen lässlichen Auffassungen - "kraft (eines) unheimlichen Gesetzes der Steigerung" (XII, 134) - in einem seiner Söhne völlig entarten sieht. Poggio dient zweierlei Gottheiten, der Pallas Athene und der Jungfrau Maria. Dass seine Loyalität geteilt ist, dass er zwischen zwei grossen Traditionen steht, zeigt sich auch daran, dass er zwar offiziell an einem Kirchenkonzil teilnimmt, gleichzeitig jedoch bestrebt ist, in der Umgebung ein Plautus-Manuskript aufzuspüren.

Als historischen Hintergrund der Binnengeschichte wählte Meyer das Konzil von Konstanz. Zu den dort erwogenen Kirchenreformen gehörten unter anderem die Hebung des Lebens der niederen Geistlichkeit und die Bekämpfung der Säkularisation des hohen Klerus. Poggio ist zur Zeit des Konzils ein frappantes Beispiel für die Verweltlichung des hohen Klerus; mit für ihn höchst bezeichnenden Worten beschreibt er die Konstanzer Szenerie:

> Meine Musse aber teilte ich zwischen der Betrachtung des ergötzlichen Schauspiels, das auf der beschränkten Bühne einer deutschen Reichsstadt die Frömmigkeit, die Wissenschaft, die Staatskunst des Jahrhunderts mit seinen Päpsten, Ketzern, Gauklern und Buhlerinnen zusammendrängte, - und der gelegentlichen Suche nach Manuskripten in den umliegenden Klöstern. (XII, 135; meine Hervorhebung)

Die Beschreibung ist aufschlussreich für Poggios eigene Stellung: er ist Kind seiner Zeit, einer Übergangszeit und als solches Mitglied einer säkularisierten Geistlichkeit. Gleichzeitig ist er auch ironischer Zuschauer, der die Welt als ein Theaterspiel erlebt und in den Pausen lässig seinen eigenen Interessen nachgeht. Bezeichnend für seine Distanz ist die Nonchalance, mit der er

Gegensätzliches kunterbund aneinanderreiht: Päpste, Ketzer, Gaukler und Buhlerinnen bewegen sich alle auf derselben Bühne. Weit davon entfernt sich zum Sittenrichter über dieses Schauspiel zu erheben, ist Poggio vielmehr Nutzniesser in dieser Welt der Gegensätze.

Auch vom Rahmen her wird die Zwischenstellung Poggios deutlich gemacht, wenn von seinem für die Epoche nicht so aussergewöhnlichen "Berufswechsel" die Rede ist, als von "dem greisen Poggio - dem jetzigen Sekretär der florentinischen Republik und dem vormaligen von fünf Päpsten, dem früheren Kleriker und späteren Ehemann - ..." (XII, 133; meine Hervorhebung).[3] Poggio gehört also mit zu den entkutteten Mönchen, die einem in Meyers Werk immer wieder entgegentreten; im Gegensatz zum Schicksal Astorres etwa, geschieht jedoch dieser Berufswechsel bei Poggio - mit Dantes Worten aus Die Hochzeit des Mönchs - aus "eigenem Triebe", "aus erwachter Weltlust" (XII, 9), also aus Motiven, die gemäss Dante einen guten Ausgang versprechen.

In religiösen Belangen ist Poggio Pluralist und infolgedessen auch Ironiker. Typisch dafür ist zum Beispiel der folgende Satz, in dem Poggio das Sublime und das Triviale gleichsam auf einen Nenner bringt:

> Doch es waren die Tage, da die Wahl des neuen Papstes alle Gemüter beschäftigte und der heilige Geist die versammelten Väter auf die Verdienste und Tugenden des Otto Colonna aufmerksam zu machen begann, ohne dass darum das tägliche und stündliche Laufen und Rennen seiner Anhänger und Diener,..., im geringsten entbehrlich geworden wäre. (XI, 136)

Poggios Ironie besteht in seiner doppelten Stellungnahme zu den Aspekten einer Papstwahl: zwei Kräfte scheinen hierbei eine Rolle zu spielen, einerseits die Macht des heiligen Geistes, von dem zwar despektierlich als einer Art Teilnehmer am Konzil gesprochen wird; und andererseits die trotzdem nicht zu umgehende betriebsame weltlich-politische Einflussnahme.

Dass für Poggio der antiken Religion ein ebenso wichtiger Platz zukommt wie dem Christentum, und dass dementsprechend also keine Religion eine Vorrangstellung einnimmt, lässt sich an Poggios heterogener Götterterminologie erkennen. So wendet er sich "in freier Frömmigkeit" und durchaus seiner Unbefangenheit entsprechend "an jene jungfräuliche Göttin, welche die Alten als Pallas Athene anriefen und wir Maria nennen..." (XI, 157).

Die Zwischenstellung, die Poggio in dieser Novelle durchwegs einnimmt, macht ihn zum ironischen Menschen. Er verabscheut die "absoluten Geister", denn eine eindeutige Stellungnahme ganz gleich in welcher Angelegenheit ist für den echten Ironiker zumindest problematisch und für den ironischen Poggio unmöglich.

Fritz Martini sagt dazu:

> ...Poggio "mag die absoluten Geister nicht leiden", er lebt in einer Welt der Möglichkeiten, die zu allem offen ist, klug und behende sich der Masken bedient und sie ironisch durchschaut.[4]

Insofern Poggio die absoluten Geister verabscheut, d.h. jene Menschen, die ganz summarisch, ohne jeglichen Zweifel an etwas glauben oder etwas verwerfen, insofern Poggio skeptisch mit Begriffen wie "Gewissen" und "Wahrheit" umgeht, und sie relativierend definiert, erinnert er an andere Meyersche Gestalten: an den alten Rat Châtillon etwa, dem es vor Panigarolas Demagogik graut, oder an General Wertmüller, den die Selbstgerechtigkeit und Verlogenheit seiner Nachbarn am See leise ärgern und provozieren. Sogleich lässt sich aber auch der grosse Unterschied zwischen Poggio und den eben erwähnten Gestalten erkennen. Während Châtillon tapfer eine Fluchtmöglichkeit aus Paris abschlägt und mit seinem Leben dafür bezahlen wird, während Wertmüller sich dort eindeutig verpflichtet, wo es um Treue und Wahrheit geht, wird Poggio im Gegenteil durch eine weitgehende Standpunktlosigkeit gekennzeichnet. So ist es auch kein Zufall, wenn Meyer mehrere Male die Gangart des Poggio, des fundamental Unentschiedenen, charakterisiert als ein Schleichen (XI, 148, 156, 162) und Schlüpfen (XI, 162). Wertmüller war bestrebt gewesen, das Heidentum ins Christentum herüberzuretten, weil nur durch eine glückliche Fusion beider Welten ein humanes Leben und echte Liebe entstehen können. Poggio, beiden Welten halb zugehörig, wendet sich als ein Vertreter der aesthetisierenden Renaissance deswegen von der christlichen Welt ab, weil letztere zu derb und unschön ist und weil ihm ihr ethischer Imperativ nicht liegt. Er scheut sich aber auch nicht, sich dort zu dieser christlichen Welt zu bekennen, wo sie ihm nützlich sein kann: wenn es sich darum handelt, das Brigittchen einzuschüchtern, um zum Plautus zu gelangen, beruft Poggio sich plötzlich auf die Reformartikel des Konstanzer Konzils,[5] und er stimmt in dem Augenblick ein "schallendes Te Deum an", wo er sich mit dem Codex unter dem Arm unbemerkt abschleichen kann (XI, 162). Im Gegensatz zu Wertmüller etwa verfolgt Poggio also weitgehend seine eigenen Interessen. - Kein Wunder, dass Meyer seinem Poggio mit ironischer Kritik gegenübertritt.

Die Ironisierung des ironischen Erzählers

Dass Meyer selber Poggios Ironie, seiner Unbefangenheit der Standpunkte gegenüber skeptisch war, zeigt sich in verschiedener Weise im Verlaufe der Novelle immer wieder.

i. Poggios Nachkommen. Poggio ist bezeichnenderweise der Vater von Söhnen, die allesamt zur Kriminalität neigen, Söhne die "alle herrlich begabt waren und alle nichts taugten" (XI, 133). Schon bei Poggio grenzt die Unbefangenheit der Standpunkte, auf die er nicht wenig stolz war, mitunter an Verantwortungslosigkeit; bei seinen Söhnen ist sie gefährlich und sozial zersetzend geworden.[6]

ii. Sprachgebrauch. Meyers ironische Kritik äussert sich - wenn auch implizit - in Poggios Sprachgebrauch, zum Beispiel in unangepasster Sprache. Poggio, im Beichtstuhl der Klosterkirche, an einer christlichen Andachtstelle also, dankt nicht dem christlichen Gott sondern den "Unsterblichen" (XI, 145) für den Fund des Plautus. Die burleske aber auch widerliche Szene auf der Wiese vor dem Kloster ist für Poggio "ein possierlicher Vorgang", und ganz gelassen erwähnt er dann "Laien und zugelaufene Mönche", die einen "bunten Kreis in den <u>traulichsten</u> Stellungen" bildeten (XI, 139; meine Hervorhebung). Sein Sprachschatz zeugt immer wieder von einer sehr weitgehenden Verweltlichung, hier die krassesten Beispiele: Er möchte die Plautuspergamente mit "unersättlichen Küssen" bedecken; der sexuelle Sprachkomplex erreicht seinen Höhepunkt, wenn dann Poggio, der Kleriker, endlich über der Lektüre des Plautus "in hochzeitlichen Wonnen" "schwelgte" (XI, 153). - Früher schon, als Poggio seinen Zuhörern die Lebensgeschichte Gertrudes nacherzählte, sprach er von der "ambrosischen Schulter", welche die Muttergottes barmherzig unter das schwere Kreuz geschoben hatte. Unmittelbar daran anschliessend lässt Meyer Poggio beifügen:

> Nicht diese Worte brauchte die blonde Germanin, sondern einfachere, ja derbe und plumpe, welche sich aber aus einer barbarischen in unsere gebildete toscanische Sprache nicht übersetzen liessen, ohne bäurisch und grotesk zu werden... (XI, 142)

Meyers Ironie gegenüber Poggio ist deutlich. Bestimmt hat Gertrude, wie ja Poggio andeutet, den Ausdruck "ambrosisch" nicht verwendet. Meyer nimmt hier ironisch Abstand von Poggios antikisierender Bildungssprache, nicht nur weil er andeuten möchte, dass der einfachere Ausdruck bisweilen ebenso treffend wie der gewähltere sein kann; Meyer, selber oft ganz betont Bildungsdichter, ironisiert Poggios Wortwahl vor allem, weil sie zu fragwürdigsten Vermischungen führt: die "freie Frömmigkeit" und Poggios auf die Spitze getriebener religiöser Pluralismus lassen in keiner Weise erkennen, dass die Barmherzigkeit keine antike, sondern vielmehr eine ausgesprochen christliche Tugend und das Kreuz ein christliches Symbol für menschliches Leiden sind. So ist der Ausdruck "ambrosisch" durchaus unangebracht, wenn Poggio von der barmherzigen Maria spricht, die der Herzogin das Kreuz tragen hilft. Die Ironisierung von Poggios amalgamierter religiöser Vorstellungswelt kommt an einer anderen Stelle sprachlich sogar noch deutlicher zum Ausdruck: Poggio gibt zwar zu, dass der christliche Gott sich seiner als Werkzeug bedienet, um Gertrude zu helfen, nennt diesen Gott aber dennoch nicht ganz passend "Optimus Maximus".

iii. Die Befangenheit der Standpunkte. Noch deutlicher wird Poggio ironisiert, wo Meyer zeigt, wie dessen vermeintliche Unbefangenheit der Standpunkte von eigensten unbewussten Vorurteilen eingeschränkt und in Frage gestellt wird. Das Illusorische an Poggios Überzeugung, einen unbefangenen Standpunkt zu vertreten und sich ganz frei zwischen den verschiedenen Welten, in denen er nun einmal lebt, zu bewegen, wird jeweils dort am deutlichsten, wo es um Poggios Selbsterkenntnis geht. So verrät er zum Beispiel in nationalen Belangen einen präjudizierenden Standpunkt. Anselinos natürliche Anmut kann er sich nur dadurch erklären, dass wohl ein Tropfen romanischen Blutes (XI, 137) in seinen Adern fliesse. Poggio selber ist stolz auf seinen klassischen Ursprung (XI,140), und die Alemannen kommen ihm samt und sonders barbarisch vor. Der vollkommenen Ausführung des Gaukelkreuzes wegen schliesst er wohlgefällig auf einen welschen Künstler:[7]

> Nur ein grosser Künstler, nur ein Welscher kann dieses zu Stande gebracht haben: und da ich für den Ruhm meines Vaterlandes begeistert bin, brach ich in die Worte aus: "Vollendet! Meisterhaft!" - wahrlich nicht den Betrug, sondern die darauf verwendete Kunst lobend. (XI, 151)

Können, Form, Stil sind für Poggio das Eindrücklichste. Die unlauteren Motive, die er zwar anerkennt, werden erst im Nachsatz gestreift. Auch an der Verlogenheit der Äbtissin stösst er sich eigentlich nicht; wohl aber an den kunstlosen "Drehungen und Windungen der ertappten Lüge" (XI, 152). Was der Äbtissin fehlt, ist nun eben das Gekonntsein beim Lügen.

Auch seinem Künstlertum gegenüber erweist sich Poggio als ein Befangener. Von Cosmus erfährt der Leser, dass Poggios Stil durch leiseste Anspielungen und keckste Scherze gekennzeichnet war (XI, 133). Poggio sagt von diesen selber:

> ...ich schmeichle mir, in den meinigen mit leichten Sohlen zu schreiten, weder die züchtigen Musen, noch die unfehlbare Kirche beleidigend. (XI, 149)

In Anbetracht des anzüglichen Inhalts seiner Schriften, die von badenden Nonnen, liederlichen Kardinälen und zudringlichen Beichtvätern bevölkert sind, wirkt Poggios Behauptung, dass er die Kirche nie beleidigt habe, fragwürdig; ebenso stehen seine Fazetien nicht im Zeichen der "züchtigen Musen". Die Verrohung der Sitten in den Nonnenklöstern ist ihm eine so dankbare Quelle für seine Werke, dass er gar nicht verstehen kann, dass zwei Konzilväter mit "französischer Pedanterie" ernsthaft über diese Missstände diskutieren können. Als Gesandter des Konzils fühlt sich Poggio verpflichtet, das Brigittchen von den sittengefährlichen Schriften, die unerlaubterweise in den Klöstern zirkulieren, zu warnen. Er ist aber unangenehm überrascht, als ihm die Äbtissin kurz darauf in aller Unwissenheit seine eigenen Schriften überreicht und ihn bittet, sie von diesem "Unrat", dieser "Pest" zu befreien. Poggio gehört also ironischerweise mit zu jenen Verfassern, mit deren Namen er die angeblich "keuschen Ohren" der Äbtissin nicht hatte schockieren wollen.[8] Eben diese Schriften sind laut dem Pfaffen von Diessenhofen das "Wüsteste und Gottverbotenste", was je erfunden worden ist. Dieses Urteil sollte Poggio eigentlich nicht berühren, da es aus der barbarischen Welt der Alemannen stammt. Eitel wie er ist, fühlt er sich aber trotzdem gekränkt und verstimmt. Dabei müsste ihm, als einem mit der Wertskala der Kirche Vertrauten, klar sein, dass in konservativen Kreisen des Klerus moralische Kriterien den aesthetischen immer noch vorangestellt werden und man dort sein Werk zumindest durchschaut wenn nicht gar verurteilt. Darin bekundet sich denn wiederum Meyers Ironie, dass ein so kluger Kopf wie Poggio so grenzenlos naiv sein kann.

Was Poggio seinem Führer Anselino zum Vorwurf macht, dass dieser nämlich die eigentlichen Absichten des um seine Belehrung bemühten Humanisten nicht versteht, trifft kurz darauf auch auf ihn selber zu; ohne nach einer tieferen Bedeutung zu suchen, versteht er den eigentlichen Sinn des Folgenden überhaupt nicht:

> Da rief die Schamlose, mich betrachtend: "Um so längere Finger hast du, sauberer Patron!" und in der Tat, meine Finger haben sich durch die tägliche Übung des Schreibens ausgebildet und geschmeidigt. (XI, 140f.)

In seiner Egozentrizität fasst er die Bemerkung der Äbtissin wörtlich auf, d.h. als Kompliment und verkennt ihre Anspielung auf seine diebischen Absichten. -- Selbst wenn der mediceische Zuhörerkreis ihm viele Jahre nach dem Konzil halb im Ernst halb im Spass vorschlägt, der Titel zur facetia inedita sollte eher "Der Raub des Plautus" als "Der Fund des Plautus" lauten, verteidigt er sich gegen diese Unterstellung und fasst sie leicht resigniert als Vorurteil auf. Damit wird der ganze Schluss der Novelle ironisiert: Poggio beschreibt seinen aufmerksamen Zuhörern, wie er sich mit dem Codex aus der Kirche geschlichen hat und gesteht damit, dass seine Absichten und Methoden - wie sie es ja vermutet hatten - doch nicht zu den lautersten gehören. Lange Finger - also doch "der Raub des Plautus".[9]

In jeder dieser drei Episoden - sei es die Bewunderung des Gaukelkreuzes, die Bewertung seiner eigenen Schriften oder die Aneignung des Codex - geht es Meyer im Grunde genommen immer wieder um Folgendes: Er ironisiert mit der Gestalt des Poggio jenen Typus des Schriftstellers, für den das Ästhetische einen so sublimen Wert darstellt, dass die moralischen Kriterien einfach in den Hintergrund abgedrängt werden.

iv. Gertrude. Meyer ironisiert Poggio, den zweideutigen, ironischen Zivilisationsmenschen vor allem dadurch, dass er ihm eine einfache, naturverbundene Frau gegenüberstellt, die tapfer einen ihr unliebsamen Standpunkt bezieht und eher zusammenbricht, als sich wegschleicht: Gertrude. In ihr hat Meyer zumindest die Potenzen der tragischen Gestalt angelegt, die zwischen Pflicht und Neigung, Gewissen und Wahrheit hin und her gerissen wird. Gertrude ist ehrlich; sie ist auch ganz und gar unironisch. Und deshalb sind für sie Begriffe wie "Gewissen" und "Wahrheit" kein Problem: sie weiss, was sie bedeuten. Einerseits fordert ihr Gewissen, ein gegebenes Wort zu halten, d.h. endgültig ins Kloster einzutreten; andererseits fordert die Wahrheit von ihr, sich selbst treu zu bleiben, Anselinos Frau und die Mutter seiner Kinder zu werden. Ganz anders Poggio, der trotz der "Unbefangenheit (s)einer Standpunkte" Gewissen und Wahrheit als Begriffe kennt, ohne sicher zu sein, was sie bedeuten: er ringt nach Definitionen, die sich letztlich als unzureichend herausstellen.

Das Gewissen sei kein allgemeines, meint Poggio, und selbst da, wo es auftrete, sei es "ein Proteus, in wechselnden Formen" (XI, 155). Als er einmal am Hofe eines Tyrannen die Seufzer eines Eingekerkerten hört, ist seine Freude an der Gesellschaft plötzlich wie weggeflogen: "Mein Gewissen war beschwert, das Leben zu geniessen, küssend, trinkend, lachend neben dem Elende" (XI, 156), woraufhin er das Fest verlässt. Sein Gewissen erscheint an jenem Abend als ein schöner Luxus; der Seufzer eines Gefangenen beweist

Poggio allenfalls seine eigene Humanität und Sensibilität. Das Elend eines Unbekannten vermochte bei ihm ein gewisses Unbehagen hervorzurufen, aber es fiel Poggio nicht ein, aktiv für den Unglücklichen einzuschreiten. Als Künstler ist er auf das Mäzenatentum "jener kleinen Tyrannen, von welchen unser glückliches Italien wimmelt", angewiesen. Sie kerkern zwar Menschen ein, aber sie halten auch einen eleganten Hof, was Poggios ästhetischem Feinsinn und seinem Geniessertum zusagt. Opportunismus und Lebensstil bedingen also sein Gewissen, und was das Schicksal von elenden Gefangenen betrifft, ist Poggio kraft seiner Passivität der stille Mitläufer seiner fürstlichen Gönner. - Obwohl hier Meyers bittere Ironie gegenüber der nicht allzu weit und tief greifenden Integrität Poggios zum Ausdruck gelangt, nuanciert er später Poggios so bequemen Gewissensbegriff: das Gewissen ist eben ein "Proteus, in wechselnden Formen", und so zeigt Meyer, dass Poggio neben diesem passiven auch von einem aktiven Gewissen gelenkt werden kann. Aus Mitleid und Furcht, dass Gertrude dem Wahnsinn verfallen könnte, führt Poggio sie auf den ihr angemessenen, wahren Lebensweg zurück; er handelt somit für einmal selbstlos und geniesst nach dem sonst unruhigen Schlaf (XI, 154) "den süssen Schlummer eines guten Gewissens" (XI, 158). Meyers in der Gewissensfrage vorerst recht scharf ironische Kritik wird also dadurch gedämpft, dass Poggio um der Wahrheit der menschlichen Natur willen im Falle von Gertrude der Stimme seines Gewissens folgt und als Werkzeug der Muttergottes für die Novizin eintritt: "Deine Sache führe ich, Göttin. Sei mir gnädig!" (XI, 157). Poggios spontane Tat hat etwas vom Echten der Gertrude-Welt an sich.

Meyers ironisch zweideutige Darstellung Poggios im Hinblick auf die Gewissensfrage wiederholt sich gegen Ende der Novelle, wo sich Poggio die Pilatus-Frage "Aber was ist Wahrheit?" aufdrängt. In der Kirche tritt Gertrude ihrem künftigen Gatten entgegen,

> wieder die einfache Bäuerin, welche wohl das ergreifende Schauspiel das sie in ihrer Verzweiflung der Menge gegeben, bald und gerne vergass, jetzt, da sie ihres bescheidenen menschlichen Wunsches gewährt war, und in die Alltäglichkeit zurückkehren durfte. Verlache mich, Cosmus! ich war enttäuscht. Eine kurze Weile hatte die Bäuerin vor meinen erregten Sinnen gestanden als die Verkörperung eines höheren Wesens, als ein dämonisches Geschöpf, als die Wahrheit, wie sie jubelnd den Schein zerstört. Aber was ist Wahrheit? fragte Pilatus. (XI, 161)

Meyer ironisiert Poggio, der einen Augenblick lang in Gertrude eine Allegorie der Wahrheit erkennen wollte, wie sie über die Lüge triumphiert. Die Wahrheit, so zeigt Meyer, ist für Poggio, den

Ästheten, nur in Kunst-Form, als Allegorie vorstellbar.[10] Sein Wahrheitsbild erinnert an Wertmüllers Odysseus-Interpretation: der heimkehrende Held im homerischen Epos ist die über alle Vorstellung siegende Wahrheit.[11] Der bezeichnende Unterschied besteht darin, dass Wertmüller einen mythologischen Stoff als Allegorese auslegt; Poggio hingegen möchte das Leben selbst in schönen Schein, hier genauer: in Allegorie umsetzen. Er kann das Leben nur über den Umweg der Kunst erfahren und ist deshalb enttäuscht über die einfache, schlichte Wahrheit, wie Gertrude sie vorgelebt hat. - Letztlich zielt Meyers Ironie auch darauf hin, Poggio als eine in sich stark gespaltene Gestalt darzustellen, die sich der Diskrepanz zwischen dem Enthusiasmus für die Wahrheit einerseits und der eigenen angeschlagenen Integrität andererseits nie richtig bewusst wird.

Die Ironisierung des Erzählers: Warum?

Während Meyer zwar die vorwiegend aesthetisierende Lebensweise Poggios und die damit in direktem Zusammenhang stehende Standpunktlosigkeit ironisiert, steht er dieser Lebensweise doch auch nahe. Vor allem sind Poggios Fragen "Was ist das Gewissen?" und "Aber was ist Wahrheit?" zugleich Meyers eigenste Fragen,[12] die er in seinem Werk direkt oder indirekt immer wieder stellt. Ebenso kennzeichnen Widerwillen gegenüber "absoluten Geistern" und die Scheu vor summarischen Definitionen nicht nur Poggio sondern auch Meyer, den Schöpfer dieser Novellengestalt. Unter anderem setzt Meyer also dort die Ironie ein, wo es ihm um eigenste Lebens- und Schaffensprobleme geht. Damit verfolgt Meyer, so will mir scheinen, eine bestimmte Absicht: Ironie ist Ablenkungsmanöver des Dichters gegenüber seinen Lesern; der Schritt in die Distanz, die dem Dichter seiner zurückhaltenden Natur gemäss dennoch erlaubt und ermöglicht, eigenste Probleme darzustellen.

Man darf auch nicht ausser Acht lassen, dass Meyer hier schon zur Ironisierung der Zuhörer -- noch prononcierter in Die Hochzeit des Mönchs -- angesetzt hat. Seine Kritik an der unsauberen Vermischung von Geistlichem und Weltlichem, seine Kritik an diesem Tanz auf des Messers Schneide richtet sich nicht nur gegen den Erzähler sondern ebensosehr gegen die gesamte tonangebende Gesellschaft des Jahrhunderts.[13] Poggios eleganter Stil und seine schlüpfrigen Themen werden von einem Publikum bestimmt, dem er gefallen muss - und in diesem Sinn zumindest steht Poggio paradigmatisch für den Erzähler überhaupt. Seine leicht obszönen Briefe sollen an allen Höfen zur Belustigung ihrer Leser zirkuliert worden sein (XI, 135); Cosmus ergötzt sich an Poggios elegantem Stil, ist aber rasch gelangweilt und sucht nach immer neuen Reizen, die Poggio ihm anzubieten sich verpflichtet fühlt.[14] Dieses Publikum versteht die leisesten Anspielungen, verzeiht die kecksten Scherze; es mockiert sich einerseits über Poggios Skrupellosigkeit und fördert sie zugleich; und diese Welt erwartet auch die Relativierung des Heiligen. Als Hintergrund zu Plautus im Nonnenkloster hat Meyer nicht das Bild der ruchlosen Renaissance wie in Angela Borgia entworfen; es ist eine Renaissance, die von der fin-de-siècle Stimmung befallen ist und geradezu an Anatol-Symptomen leidet: Man ist ironisch, leicht dekadent[15] und verbirgt nur mühsam ein gelangweiltes Gähnen. Die Geschichte der ehrlichen aber bäuerischen Gertrude musste vor diesem Publikum notgedrungen eine facetia inedita bleiben: weder das Thema Gewissen noch das Thema Wahrheit erfreuen sich hier besonderer Popularität. Und Poggio, der die facetia inedita nun doch zum besten gibt, ist am Ende ein Einsamer: man trinkt, lacht und - wechselt das Thema. Vollkommen ironisch sind denn auch Meyers letzte Worte der Novelle gemeint, wenn er erzählt, dass sich die Gesellschaft im Gespräch "der Grösse des Jahrhunderts" zuwendet, einer Grösse, die im Verlauf der Novelle freilich immer wieder in Frage gestellt worden ist. Cosmus edle, von einem lachenden Satyr umklammerte Schale ist Sinnbild für die zweideutige Gestalt Poggios; sie ist Sinnbild, laut Cosmus, für die Beziehung zwischen Poggio und Gertrude; vor allem aber ist sie Sinnbild für eine ganze Welt, die sich über die Gewissensqualen und das Leiden eines einfachen Menschen lachend hinwegzusetzen weiss.[16]

Meyers Poggio ist meines Erachtens nicht immer der alles ausklügelnde Intrigant, der nur auf den eigenen Vorteil bedacht ist. So hat Sjaak Onderdelinden ihn gezeichnet,[17] dabei aber die Funktion der Gertrude-Gestalt in ihrer Beziehung zu Poggio übersehen. In ihrem Falle handelt Poggio ausnahmsweise anders als sonst: er hilft ihr in jenem "fruchtbaren Augenblick", wo Wahrheit und Gewissen ihm für einmal zusammentreffen. Indem er sich für Gertrude einsetzt, vollzieht er ironischerweise doch noch seine Funktion als Konzilmitglied; zwar nicht um der Kirche willen sondern um der Wahrheit der menschlichen Natur zum Durchbruch zu verhelfen, deckt er den Betrug mit dem Gaukelkreuz auf und rettet Gertrude dadurch vor dem für sie widernatürlichen Klosterleben. - Und dennoch distanziert sich Meyer von seinem Erzähler Poggio, weil dieser abgesehen von der einen Ausnahme allzu leicht und sorglos zwischen Ethik und Ästhetik hin und her gleitet und sich - wenn er gelegentlich Stellung nehmen muss - gegen das Wahre und für das Schöne entscheidet. Meyers Ironie richtet sich immer dann gegen Poggio, wenn das Gleichgewicht zwischen diesen beiden Polen gestört ist.

2. Die Ironisierung des Erzählens: Die Hochzeit des Mönchs

In dem schon früher zitierten Brief an Betsy zu der Novelle Die Hochzeit des Mönchs meinte Meyer, dass die Ironie als "Vorweisung des poetischen Werkzeuges" einerseits die Härte der in Padua angelegten Fabel mildere; dass sie andererseits "aber zugleich ein untrüglicher Gradmesser der entfalteten Kraft" sei, "da sie (die Ironie) alles Schwächliche sofort umbringt" (XII, 25). Im selben Brief betonte Meyer auch, dass es wichtig sei, Dante erfinden, nicht erzählen zu lassen.

Wie in der Kritik zu der Novelle mehrfach festgestellt wurde,[1] ist der Gegenstand der Hochzeit des Mönchs das Erzählen selbst. Dabei ist die Ausgangssituation die folgende: Dante Alighieri steigt von seiner kalten Turmkammer herunter, um sich am Herde Cangrandes, seines fürstlichen Gönners in Verona, zu wärmen. Die Anwesenden, die sich den Abend mit Geschichtenerzählen vertreiben, bitten den Dichter, mit einer Erzählung zur Unterhaltung beizusteuern. Daraufhin improvisiert denn Dante die Geschichte von der Hochzeit des Mönchs und zieht sich anschliessend wieder in seine Kammer zurück. Meyer verwendet diese Novelle um zu zeigen, wie eine Erzählung entsteht; und so wird Dantes Geschichte, wie Benno von Wiese bemerkt hat, "zum paradigmatischen Fall für Erzählen überhaupt".[2]

Von Meyers Brief an Betsy ausgehend soll nun an der Hochzeit des Mönchs näher untersucht werden, durch welche spezifisch ironischen Kunstmittel die Binnenerzählung gemildert wird und wie die Ironie als Gradmesser der entfalteten Kraft wirkt; ferner soll ermittelt werden, was Dantes Erfinden - statt blossen Erzählens - für die Novelle als Gesamtkunstwerk bedeutet; abgesehen von den in dieser Novelle zur "Milderung" eingesetzten ironischen Kunstmitteln hat Ironie hier eine weitere Funktion: Ironie als Maske, hinter der sowohl er als auch sein Erzähler Dante sich verstecken; nach Meyers eigenem Ermessen stellt Die Hochzeit des Mönchs ein "non plus ultra" dar, wovon er sich nach der Vollendung der Novelle geheilt erklärte;[3] abschliessend soll untersucht werden, warum Meyer hinfort die Rahmenform fallen liess und auch von der ausgesprochen ironischen Manier der vorliegenden Novelle Abstand nahm.

Dante Alighieri, der Schöpfer der Göttlichen Komödie, wird von Meyer in der Novelle systematisch entmythologisiert. Es handelt sich meiner Auffassung nach bei diesem Dante-Porträt nicht einfach um Meyers "Traumbild eines souverän erfindenden Urerzählers in archaisch überhöhter erzählerischer Ursituation".[4] Ganz im Gegenteil nimmt Meyer Dante vom Sockel herunter und zwar gleich in mehrfacher Weise. Schon Louise v. François bemerkte kurz und bündig, "der Dante versteht sich ja auf vornehme Klatschgeschichten"[5] - sie meinte damit sowohl den historischen als auch den Meyerschen Dante; später schrieb dann Meyer selber: "Übrigens warum sollte Dante nicht gelegentlich, wie wir Andern, ein Geschichtchen erzählt haben!"[6] Der göttliche Dante singt nicht immer, er reimt nicht immer; mitunter verzichtet er auf seine Terzinen und findet anscheinend wie "wir Andern", also auch Meyer, seine Freude am Plaudern. - Meyer stellt Dante ganz realistisch dar: nicht nur als Bürger "einer andern Welt" (XII, 7), sondern auch durchaus als Bürger dieser Welt; mit Hilfe psychologischer Einzelheiten vermenschlicht er Dante und typisiert ihn bei weitem nicht so sehr, wie er gelegentlich in seiner Korrespondenz behauptet hat.[7] Gleich eingangs zeigt sich, dass Dante sich rasch beleidigt fühlt; er will als Meister anerkannt werden und lässt sich merklich aufmuntern, wenn man ihm wie zum Beispiel Ascanio ehrerbietig gegenübertritt. Dante ist nachtragend: wo immer sich eine Gelegenheit bietet, wischt er mit sichtlichem Vergnügen jemandem eins aus, etwa dem Narren Gocciola oder dem Majordomus. Michael Shaw spricht gar von Dantes "carefully calculated insolence".[8] - Ebenfalls die äussere Erscheinung Dantes wird der Kritik unterworfen; das Portrait, das Meyer hier zeichnet, erinnert an das berühmte Dante-Profil von Giotto, nur dass es eben in der Novelle ins Groteske verzerrt wird. Zu dem freskenhaften Schattenbild Dantes an der Decke bemerkt der Autor: "Das Schattenbild Dantes glich einem Riesenweibe mit langgebogener Nase und hängender Lippe, einer Parze oder dergleichen" (XII, 8). Wenig schmeichelhafte Attribute! Selbst der Vergleich mit der Parze - eine Vorwegnahme der Rolle Dantes als Erzähler, der die Schicksalsfäden seiner Gestalten spinnt - wird durch das beinahe respektlos klingende "oder dergleichen" ironisiert. - Es scheint mir fraglich, von einer "archaisch überhöhten Ursituation" zu sprechen, denn solche liegt ausserhalb zeitlicher und räumlicher Gegebenheiten. Betont weist Meyer auf die politische und menschliche Situation Dantes hin: Er ist politischer Flüchtling; er ist der Macht seiner Gönner ausgeliefert und auf deren Gunst und Gastlichkeit angewiesen. Dantes Erscheinen im Saal ist durchaus zweckgebunden und erlaubt dem Leser die Illusion von Dante dem Barden nicht. Er kommt aus dem Bedürfnis, sich am Herde zu wärmen. Seine Geschichte ist zunächst nichts anderes als der Tribut, den er dafür bezahlen muss, Geschäftssache sozusagen. Er scheut sich auch nicht, die Gesellschaft im Anschluss an seine Erzählung mit der leicht verdriesslichen und sehr ernüchternden Feststellung daran zu erinnern, dass er "seinen Platz am Feuer bezahlt" habe und "das Glück des Schlummers" suche (XII, 98).[9]

Dantes poetisches Talent und seine dichterische Freiheit bleiben weitgehend unangetastet. Der Mensch jedoch - und wichtiger wohl noch: unser tradiertes "Image" von Dante als einem erhabenen, olympischen Poeten wird gleich auf den ersten Seiten der Novelle ironisiert. Wie Werner Oberle bemerkt, hat Meyer seinen Dante "bewusst seiner Göttlichkeit beraubt".[10] Durch die Entmythologisierung des Dichters wird sein Dichten in ein menschlicheres und leicht ironisches Licht gerückt. Dantes Zuhörer und Meyers Leser werden sich daher auch dem Prozess des Erzählens gegenüber eher eine kritische Distanz erlauben können als gegenüber einer monumental überhöhten Dichtergestalt.

Sowohl Ernst Feise als auch Karl Fehr erwähnen kurz,[11] dass Meyer in Die Hochzeit des Mönchs Kunstmittel eingesetzt hat, die auf die Romantik zurückzuführen sind; ich möchte mich ihnen anschliessend voraussetzen, dass die "Ironie", von der Meyer an Betsy schreibt, Eigenschaften der "romantischen Ironie" besitzt. Unter romantischer Ironie seien allgemein jene Kunstmittel gemeint, mit denen der Dichter seine Freiheit gegenüber seinem Gegenstand zum Ausdruck bringt und, spezifisch auf Die Hochzeit des Mönchs angewendet, die spielerische Art und Weise, mit der die Veronesischen Hörer und Meyers Leser immer wieder daran erinnert werden, dass der Realitätsanspruch der Binnenerzählung und des Rahmens - letzterer freilich in entschieden geringerem Ausmass und nur für die Leser - fiktiv ist.

Die Durchbrechung der poetischen Illusion und das Sich-Distanzieren-Können vom eigenen Stoff kommen in Die Hochzeit des Mönchs durch verschiedene Kunstmittel zum Ausdruck.

Ein solches Kunstmittel ist zum Beispiel das Richtigstellen: Dante erzählt, wie Astorre sich im Garten der Vicedomini an eine Zeder lehnt (XII, 32); später jedoch unterläuft ihm der Irrtum, von einer Pinie zu sprechen, worauf er sogleich von der Fürstin verbessert wird: es habe sich doch um eine Zeder gehandelt (XII, 35). Gewiss, der Fehler ist eine Bagatelle; er ist jedoch bezeichnend dafür, dass es sich bei aller Genauigkeit von Dantes Erfindung letztlich eben um eine Scheingenauigkeit handelt. Die Berichtigung durch die Fürstin ist eine ironische Illusionsdurchbrechung. Interessant im Zusammenhang mit der Technik des ironischen Richtigstellens ist die Tatsache, dass Dante ein anderer Fehler unterlaufen ist, der von seinen Hörern unbemerkt bleibt. In der ersten Aufzählung der vier Söhne Vicedomini erfährt man, dass es der zweitälteste gewesen ist, der für Ezzelin starb (XII, 18); später ist es plötzlich der drittälteste Sohn (XII, 21). Dantes Hörerschaft ist offenbar nicht vollkommen bei der Sache, und niemand korrigiert seinen Fehler. Umsomehr aber treibt der Autor Meyer sein Vexierspiel mit dem Leser, der hier für die Zuhörer einzuspringen hat und verwirrt nach den Einzelheiten des improvisierten Stammbaums sucht. Die poetische Illusion ist hier zwar nicht für Dantes Publikum wohl aber für Meyers "geneigten Leser" gründlich durchbrochen. Ebenso ironisch wie dieses ab und zu absichtlich erfolgende Zerstören der erzählerischen Fiktion sind die unzähligen Stellen, wo Dante der Fiktionalität des Innenvorganges entgegenwirkt und ihren fingierten Realitätsanspruch dadurch betont, dass er ausgerechnet vorgibt, persönlich Augenzeuge der tragischen Ereignisse in Padua gewesen zu sein. - Von den Liebestrunkenen sagt er zum Beispiel: "Welcher Mund den andern suchte, weiss ich nicht, denn die Kammer war völlig finster geworden" (XII, 74). Dante spiegelt vor, er habe etwas nicht recht bestimmen oder sehen können, oder er sei nur unzureichend informiert gewesen; dabei weiss doch Dantes Publikum ganz genau, dass er nicht dabei war. W. D. Williams bemerkte zu dieser Stelle:

> The reference to the bad light is a mock-serious attempt to justify the mock-serious ignorance of the story-teller, and effectively indicates the fact that the whole episode is being invented, by its ironical assumption that the audience are, or could have been, watching it.[12]

Ähnlich will Dante auch nicht entscheiden, ob Diana den Finger krümmte oder ob Antiope es sich nur einbildete (XII, 96). Er spielt hier den Unwissenden, er will keiner Fehlschlüsse bezichtigt werden. Mit dieser Taktik gelingt es ihm vorzugeben, dass er lediglich ein Beobachter und ja nicht etwa der auktoriale Erfinder dieser Vorgänge sei. - Der Verwalter der Vicedomini ist "ein Genuese, wenn ich recht berichtet bin" (XII, 51); hier etabliert Dante die ironische Fiktion, dass er nicht einfach erfinde sondern ganz im Stile des mittelalterlichen Dichters sich auf Quellen stütze. - An einer anderen Stelle tut er so, als ob er etwas vergessen habe, zum Beispiel das Ende der Tirade der alten Canossa (XII, 60). - Er treibt das Spiel mit der fingierten Autonomie der Binnenerzählung noch weiter, indem er behauptet, der Ablauf der Ereignisse seiner Geschichte, vor allem auch das Tempo, seien unabhängig von ihm: "...doch das Verhängnis schritt rascher, als mein Mund es erzählte..." (XII, 62). Auch hier ist Dante, der Schöpfer dieser gesamten Welt, wieder ganz ironisch, denn es liegt ja durchaus in seiner Macht, das "fiktive" Verhängnis zu beschleunigen oder zu verlangsamen. Versteckt in Dantes Ironie bekundet sich zugleich auch Meyers eigene Problematik, sowohl als schaffender Künstler wie als erduldender Mensch: Als Künstler ist Meyer wie Dante Puppenspieler, der das Verhängnis und die Geschwindigkeit, mit der es über seine Gestalten hereinbricht, frei zu lenken vermag; als Mensch hingegen kann er sich dem Verhängnis höchstens beugen oder seinen Ablauf, sich ihm entgegenstemmend, eine Weile hinausschieben.[13]

Von Ironie als Abstand-Nehmen vom eigenen Stoff macht Dante mehrfach Gebrauch. Am deutlichsten geschieht dies dort, wo er Stoff aus der Göttlichen Komödie in seiner Erzählung von der Hochzeit des Mönchs neu verwendet. Die Schuld Kaiser Friedrichs und seines Kanzlers Petrus Vinea wird in der Binnenerzählung und im eingeschobenen Gespräch zwischen Cangrande und Dante anders als in der Comedia behandelt: Im Inferno hatte Dante den Kaiser als Ketzer verdammt. Mit diesem Urteil habe er, der an die Lästerungen des Kaisers nicht glaubt, lediglich die Meinung seines Zeitalters, also nicht die eigene dargestellt (XII, 44). Umgekehrt lässt Dante - persönlich vom Gegenteil überzeugt - den Kanzler im Inferno seine Unschuld am Verrat des Kaisers beteuern. Cangrande erkennt die Diskrepanz und bemerkt: "Dante, mein Dante...du glaubst nicht an die Schuld und du verdammst! Du glaubst an die Schuld und du sprichst frei!" (XII, 44). Hinter Cangrandes Tadel versteckt steht Meyers eigene Frage, ob der Künstler frei ist, mit seinem Stoff so oder anders umzugehen, je nach der Absicht, die er in einem gegebenen Werk verfolgt; dabei lässt Meyer die Bewertung der Freiheitsfrage typischerweise ungelöst: Was der Künstler in seinem Werk aussagt, sollte nicht mit seinen privaten Überzeugungen identifiziert werden. Künstlerische und private Aussage mögen übereinstimmen; sie können aber auch, wie Meyer an Hand von Dante hier zeigt, sich durchaus polar zueinander verhalten. Sowohl auf Cangrande als auch auf jedes Publikum, das die

Aussage eines Kunstwerks fraglos mit der persönlichen Aussage des Dichters identifiziert, lässt Meyer - und wie noch zu zeigen gilt auch Dante - ein ironisches Licht fallen. In diesem Gespräch über Kaiser und Kanzler hat Williams eine wertvolle Parallele zu Dantes Verwertung der Veroneser Höflinge in seiner Binnenerzählung erkannt:

> Dante is sovereign - his characters, even though they are real people, are in his hands to manipulate. He damns the historical character he believes innocent and allows the one he believes guilty to go free - similarly with those around the fire. Dante is shielded from any accusation of lèse-majesté by the fact that though these are real people, once they appear in his story they are part of a work of art, which is not "life".[14]

Nicht nur die Gestalten von Kanzler und Kaiser - beide sind nur Nebengestalten in der Novelle - sondern auch das Motiv vom entkutteten Mönch hatte Dante schon in der Comedia behandelt, und zwar in der von ihm in der Novelle eigens zugespitzten Version, "wenn nämlich ein Mönch nicht aus eigenem Triebe...untreu an sich wird" (XII, 9). In der Hochzeit des Mönchs richtet er an Cangrande die Frage "Aber sage mir, wie endet solches Ding, mein Gönner und Beschützer?", worauf dieser "ohne Besinnen" (meine Hervorhebung) entgegnet "Notwendig schlimm" (XII, 9f.). Doch zwei solchen Seelen, - Piccarda Donati, die aus dem "süssen Kloster" gewaltsam entführt wurde und Kaiserin Konstanza von Hohenstaufen, die ihre klösterlichen Gelübde ebenfalls unter äusserem Zwang gebrochen hatte - ist Dante in einer anderen Welt begegnet und zwar - darin liegt die Ironie - im Paradiso![15] In Dantes Meisterwerk endet also "solches Ding" nicht "notwendig schlimm", sind es doch gerettete, heitere und lichte Seelen, denen er im Paradies begegnet. Dantes beistimmende Antwort an Cangrande:

> Du redest die Wahrheit, Herr...und nicht anders, wenn ich ihn verstehe, meint es auch der Apostel, wo er schreibt: dass Sünde sei, was nicht aus dem Glauben gehe, das heisst aus der Überzeugung und Wahrheit unserer Natur. (XII, 10)

ist zutiefst zweideutig und ironisch, und zwar nicht nur im Hinblick auf Dantes Behandlung des Themas im Paradiso, sondern gerade auch im Hinblick auf das Gespräch über Kaiser und Kanzler ("du glaubst nicht an die Schuld und du verdammst"). Wenn Astorre in der Erzählung als Sünder erscheinen wird, so will das also noch lange nicht heissen, dass Dante von seiner Schuld überzeugt ist. Gemäss Dantes völlig unkonventioneller Glaubensdefinition handelt Astorre nicht sündig, sondern aus der "Wahrheit (seiner) Natur", wenn er sich leidenschaftlich in Antiope Canossa verliebt.[16] Der gesamte Schicksalskomplex, den Dante um Astorre anwachsen lässt, ist von diesem Gesichtspunkt betrachtet ironisch, denn sein Los muss nicht schlimm enden. Es endet schlimm, weil Dante den entkutteten Mönch in der fiktiven Welt Paduas - im Gegensatz zur Fiktion der Comedia - schlimm enden lässt. Dante lässt es meiner Auffassung nach nicht aus innerster Überzeugung zur Tragödie kommen; er ist vielmehr spielerisch ironisch und gibt, wie Michael Shaw bemerkt hat, seinem Gastgeber vorsichtshalber nach.[17]

Auch das Schaffen und Zerstören von Fiktion gehört zu den Requisiten der "romantischen Ironie". Mit sichtlichem Genuss lässt Dante seinen Ascanio die Episode von den vier Narren Ezzelins ausführen, nur um darauf den Fortgang der Geschichte mit den folgenden Worten zu unterbrechen:

> "Ich streiche die Narren Ezzelins", unterbrach sich Dante mit einer griffelhaltenden Gebärde, als schriebe er seine Fabel, statt sie zu sprechen, wie er tat. "Der Zug ist unwahr, oder dann log Ascanio..." (XII, 35)

Auf verschiedenen Ebenen ist auch diese Stelle ironisch. Was Dante eben durch Ascanio mit einiger Umständlichkeit erzählen liess, wird von ihm selber zurückgenommen. Das Streichen und die Geste, mit der Dante dies noch betont, "die griffelhaltende Gebärde" sind ironisch zu verstehen: denn Dante erzählt ja. Im Gegensatz zu der Richtigstellung Pinie-Zeder durch die Zuhörer kommt jetzt die Freiheit des Dichters zum Zug, der in eigener Person eine Korrektur vornimmt und verschiedene Möglichkeiten dartut. Damit wird der Wahrheitsanspruch der Binnenerzählung von Dante selber in Frage gestellt. In Dantes Bemerkung schwingt schliesslich auch Selbstironie mit, wenn er es mit vorgespiegelter Objektivität offen lässt, ob der Zug unwahr sei oder ob Ascanio gelogen habe. Denn damit eröffnet Dante ironisch die Möglichkeit, dass Ascanio, eine erfundene Gestalt, Eigenleben habe, und dass Dante für die Unwahrheit der Episode im Grunde genommen gar nicht verantwortlich ist, weil es eben Ascanio war, der log. Ernst Feise deutet an, dass Meyer gewisse Elemente romantischer Form bei Brentano vorgebildet gefunden habe.[18] Gerade was Ascanios "Lüge" betrifft, lässt sich eine Parallele zu Brentano ziehen, etwa zu Hinkel, Gockel und Gackeleia, wo die "Kunstfigur" - das ist ja auch Ascanio - plötzlich autonom wird und wegläuft. Ähnlich deutet Dante mit einem Augenzwinkern an, dass Ascanio vielleicht über den Kopf des Dichters hinweg gelogen habe. Die Episode soll des Lesers Eindruck verstärken, dass die Erzählung nicht Tatsachenbericht sondern poetische Konstruktion ist. - Darüber hinaus gibt hier Meyer ironisch vor, dass dem Rahmen, der doch lediglich ein anderer Erzählstrang, eine andere novellistische Fiktionsebene ist, voller Realitätsanspruch zukommt: der Leser ist überzeugt davon, dass Dante nicht schreibt sondern erzählt; die Ironie der Stelle beruht auch darauf, dass Dante tatsächlich einen Griffel in der Hand halten könnte, wenn sein Schöpfer Meyer es so determiniert hätte. Ironie der Ironien: dass wir als Leser die Binnengeschichte zudem in geschriebener und nicht in erzählter Form vorgesetzt bekommen. - Benno von Wiese erinnert daran, dass auch "Dante als Erzähler eine Schöpfung Meyers" ist, "selber eine erzählte Figur, und die Kunst mit der hier ein Dante erzählt, ist ja in Wahrheit die des Autors, der ihn in seine eigene dichterische Komposition mit hineingenommen hat".[19] Wir werden in dieser Szene also Zeugen einer mehrfachen ironischen Brechung: Dantes vorgegebene, bewusste Fiktion ist Fiktion _in_ der Fiktion, denn Meyer schafft einen Dante, der erfindet.

Den ironischen Kunstgriff des Schaffens und Zerstörens einer Szene oder Episode verwendet Dante auch für Astorres Liebesgeständnis. Dante will das verräterische Selbstgespräch überspringen, worauf das Publikum Einspruch erhebt und gemeinsam mit Dante dann Gründe und Gegengründe für einen solchen Monolog erwägt. Allein schon diese ziemlich technische Auseinandersetzung unterbricht die poetische Illusion und fiktionale Kontinuität. Dante, der das Selbstgespräch aus Gründen, die gleich noch zur Sprache kommen sollen, auslassen möchte, scheint den Wünschen der Gesellschaft nachzugeben; er lässt Astorre im Stil eines leidenschaftlichen, halb religiös halb erotisch getönten Selbstgesprächs beginnen, nur um es ins tragikomische Zwiegespräch der "Toren" Astorre und Gocciola münden zu lassen. In dieser Vernichtung des Monologs und in der Wendung zum Dialog bekundet sich Dantes Ironie in der Form der Freiheit, sein poetisches Werkzeug so einzusetzen, wie es ihm beliebt und die ursprünglichen Erwartungen und Ansprüche seiner Zuhörer über den Haufen zu werfen. Man frage sich aber auch: Was bewegt Dante dazu, Astorres Monolog, den er eben wiedergeben wollte, den er also schon konzipiert hatte,[20] durch den Dialog der "zwei Toren" zu ersetzen? Die Unterbrechung durch die Freundin Cangrandes (XII, 63), ihr krampfhaftes Gelächter und die oberflächliche Liebesauffassung der versammelten Veroneser Jugend lassen Dante innehalten. Man versteht ihn offensichtlich nicht recht: "Meint ihr denn, eine Liebe mit voller Hingabe des Lebens und der Seele sei etwas Alltägliches, und glaubet wohl gar, so geliebt zu haben oder zu lieben? Enttäuschet euch!" (XII, 63). Astorre wird ihm nicht ernst genug, nicht tragisch genug genommen. Jetzt ändert er seine Taktik, weil er offensichtlich mit einem Monolog den erwünschten Erfolg nicht erreichen wird. Anna von Doss berichtet, dass Meyer die Astorre-Gocciola Szene für die beste in der Novelle hielt. "Er sagt, hier, wo die Komik hart neben der Tragik einhergehe, hier sei die beste Probe über letztere. Denn jede unechte Tragik gehe sofort zugrunde an der ersteren."[21] Man erinnere sich des Briefes an Betsy, wo es heisst, dass die Ironie - ganz wie die Komik also in seiner Bemerkung an Frau von Doss - "ein untrüglicher Gradmesser der entfalteten Kraft" ist, "da sie (die Ironie) alles Schwächliche sofort umbringt". Es ist anzunehmen, dass Meyers Bemerkung zum Tragikomischen auf Vischer zurückzuleiten ist. In seinem Essay Über das Komische meinte Vischer:

> Allerdings wäre Vieles, was lächerlich wird (man erinnere sich des Gelächters der fürstlichen Freundin), ohne den Eintritt des komischen Kontrastes (Gocciola) nicht als erhaben erschienen, nicht als etwas Besonderes aufgefallen, allein der Eintritt dieses Kontrastes lenkt unsere Aufmerksamkeit darauf, und lässt es im Gegensatz gegen das unendlich Kleine, an dem es scheitert, als etwas relativ Erhabenes erscheinen....[22]

Vischer beruft sich übrigens hierbei auf Solger, einen der wichtigsten Theoretiker der "romantischen Ironie", und zitiert ihn:

> ...auch das Höchste und Heiligste (kann und muss), wie es sich bei den Menschen gestaltet, Gegenstand der Komödie sein, und das Komische führt eben in der Ironie seinerseits wieder seinen Ernst, ja sein Herbes mit sich.[23]

Das ironisch Herbe, von dem Solger hier spricht, hat Meyer kunstvoll in einem Wortspiel, das sich leitmotivartig durch die Novelle schlingt, zum Ausdruck gebracht. Wie Dante erläutert, heisst das paduanische Hochzeitsgebäck "wegen seines bittern Mandelgeschmackes und zugleich mit anmutiger Anspielung auf das Verbum der ersten Konjugation" (XII, 31) Amarelle oder Amare. Eben der tragikomische Dialog Astorres und Gocciolas steht im Zeichen dieser "Amare": die Stimmen eines Liebenden und eines mit Amarellen Vollgenaschten werden einander zugesellt. Dantes Technik mahnt an gewisse Shakespearesche Szenen - man denke etwa an die Dialoge zwischen Hamlet und Polonius. Wenn also Meyer Die Hochzeit des Mönchs eine "etwas shakespearisirende Nov." nennt,[24] so hatte er damit wohl zweierlei im Sinn: erstens das Ende seiner Binnengeschichte, dessen Crudität starke Ähnlichkeit mit dem elisabethanischen Typus des revenge play hat und eben auch den tragikomischen Dialog zwischen Astorre und Gocciola, der bezweckt, das herbe Schicksal Astorres nicht etwa zu dämpfen sondern im Gegenteil hervorzuheben. Der Monolog Astorres hätte sich als zu schwach erwiesen, um die Zuhörer von seiner ausserordentlichen

Liebe - "eine Liebe mit voller Hingabe des Lebens und der Seele" - zu überzeugen; also versucht es Dante mit dem Dialog der beiden Toren. Und bezeichnend für den Erfolg einer solchen Technik sowie für Meyers Glauben an ihren Erfolg ist denn auch, dass Dante während der tragikomischen Torenszene von keinem unangebrachten Gelächter mehr unterbrochen wird. Hier hat sich die Ironie tatsächlich als Gradmesser der entfalteten Kraft erwiesen.

Erzählen und Erfinden

Im "Ironie"-Brief an Betsy betonte Meyer, wie wichtig es sei, dass ein Dante erfinde, nicht erzähle. Vom Ausgangspunkt der Danteschen Geschichte betrachtet erweist sich die Differenzierung zwischen Erzählen und Erfinden weit subtiler als der Brief ahnen lässt. - Zum Problem des Erfindens bemerkt W. D. Williams:

> ...the tale is partly independent of Dante, since both plot and characters are outside his choosing, and he is making it up as he goes along. But they are not independent of his fashioning, and he subjects them to his imagination,...[25]

Von vornherein sind also Thema, Charaktere und - man sollte hinzufügen - selbst das literarische Medium dem Danteschen Erfinden aufgegeben. Schon vor Dantes Auftritt hatte die Gesellschaft sich über plötzlichen Berufswechsel mit gutem oder schlechtem oder lächerlichem Ausgang unterhalten.[26] Dante wird sich an das Thema halten, allerdings mit markanter Zuspitzung. Auch in der Wahl des Genre wird er sich dem Stil der vorangegangenen Beiträge anpassen. "...erzähle, Meister, statt zu singen", bittet Ascanio (XII, 8); Dante soll nicht Terzinen schmieden, so Cangrande, sondern "ein kurzweilige(s) Geschichtchen(s)" bieten (XII, 7). Dantes dichterische Freiheit und seine ironisch kritische Distanz sowohl vom Stoff als auch von seinem Publikum werden sich im Laufe der Improvisation darin äussern, dass er diesem "sinnlichen und mutwilligen Kreis" alles andere als ein "kurzweiliges Geschichtchen" - eine Fazetie im Stile Poggios? - vortragen wird, sondern eine Erzählung, in der Sinnlichkeit und Mutwille zur Katastrophe führen. - Cangrande möchte wissen, ob Dante eine wahre Geschichte nach Dokumenten, eine Sage des Volksmundes oder eine eigene Erfindung erzählen wird (XII, 11). Dante, so zeigt sich, tut weder das eine noch das andere. Schon im Heiligen hatte Meyer betont, dass der Wahrheitsanspruch einer Chronik, also einer "Geschichte nach Dokumenten", nicht unbedingt zuverlässig ist. Bezeichnend ist denn auch Dantes Antwort, auf die Meyer ihn grosses Gewicht legen lässt: "Dante antwortete langsam betonend: 'Ich entwickle meine Geschichte aus einer Grabschrift.'" (XII, 11; meine Hervorhebung). Wir haben es also weder mit einer wahren Geschichte nach Dokumenten noch mit einer puren Erfindung zu tun. Vielmehr erscheint Dantes Geschichte von Anfang an als ein hybrides Unterfangen: eine Erfindung nach einem mehrdeutigen, aber subjektiv interpretierten Dokument - "Hic jacet monachus Astorre cum uxore Antiope. Sepeliebat Azzolinus" (XII, 11) -; subjektiv interpretiert, weil er "das 'sepeliebat' in freundlichem Sinne" nimmt (XII, 12). Man muss sich anschliessend sogleich die Frage stellen, ob Dante tatsächlich auf eine solche Grabschrift gestossen ist und nun die Geschichte, wie er behauptet, aus ihr entwickelt. Ist es einfach Zufall, dass der Name der Gattin auf der Grabschrift - Antiope - gleich lautet wie der Name der Geliebten Cangrandes? Oder ist es vielmehr so, dass Dante sowohl um ihren Namen als auch um ihre Stellung am Hof genau Bescheid weiss, dass ihr Name in ihm Erinnerungen an die antike Antiope weckt,[27] und dass er aus der von ihm eigens erfundenen Grabschrift für die "sinnliche" und "mutwillige" Gesellschaft eine Geschichte entwickeln wird, die ihr gezielt als (warnendes?) Beispiel dienen soll? Dantes wahre Absicht wird nirgens direkt verraten, ebensowenig wie sich auch der Ursprung der Grabschrift festlegen lässt. Der Autor gibt vor, dass er nicht weiss, warum Dante den letzten Sitz am Ende des Kreises wählt: "Ihm missfiel entweder die Zweiweiberei des Fürsten...oder dann ekelte ihn der Hofnarr..." (XII, 7). Der Gang der Danteschen Erzählung jedoch - mit ihren Ausfällen gegen den Narren Gocciola im Hause Vicedomini und mit der Katastrophe, die sich wegen Astorres "Zweiweiberei" über Padua zusammenzieht - wird dann beweisen, dass beides zutrifft. - Die Trennungslinie zwischen Berichten und Erfinden wird von Dante und Meyer sorgfältig verwischt; es wird im Dunkeln gelassen, wo genau Dante zu erfinden beginnt und wo er erzählt. Damit gelingt es Meyer jene Leser, die in allzu einfachen Kategorien über den Ursprung des dichterischen Prozesses denken, zutiefst zu verunsichern.

Wie komplex und vielschichtig der dichterische Schöpfungsakt sein kann, kommt besonders deutlich zum Ausdruck im Aneinanderrücken, ja in der Verzahnung des Rahmens und der Binnenerzählung. Dante wird die Gestalten seiner Geschichte aus der Mitte der Umsitzenden nehmen und ihnen ihre Namen geben. Aber "euer Inneres lasse ich unangetastet, denn ich kann nicht darin lesen" (XII, 12). Dante freilich meint nicht das, was er sagt: er spricht also ironisch.[28] Denn der Verlauf der Erzählung, die Gestaltung Serapions und Burcardos zum Beispiel, sowie die bewegte Reaktion vor allem der beiden Frauen um Cangrande zeigen, dass Dante ihr Inneres eben doch nicht unangetastet lässt. Antiope, die Freundin Cangrandes identifiziert sich selber völlig mit Antiope Canossa, die Fürstin Diana mit Diana Pizzaguerra. Dantes ironische Erzählmittel bekunden ihre Kraft dadurch, dass er erst Charaktere der veronesischen Hofgesellschaft - entgegen seinem Versprechen - in die Welt der Fiktion verpflanzt, aus wirklichen Menschen fiktive Gestalten macht und dass nun seine fiktiven Gestalten die Macht haben, das Wesen der Veroneser zu beeinflussen. Die Fürstin ahmt gar mit einer Geste den von Diana Pizzaguerra ausgeführten Schlag nach und die Freundin Cangrandes "erbebt(e) leise" darob (XII, 64). Die folgende treffende Überlegung zu dieser Szene hat Williams angestellt:

> The duchess has called Antiope eine Verschmitzte. She goes on: "Hast du nicht gemerkt, Dante, dass Antiope eine Verschmitzte ist? Du kennst die Weiber wenig!" Here is the reversal of the whole convention - it is Dante's story, but not content with improving on it, making guesses, jumping ahead, here is a member of the audience actually interpreting it for him and to him, and that in a tone which implies superior knowledge of it! Meyer elaborates this not simply to indicate how much the duchess has identified the two women with herself and the duke's mistress, but also to emphasize once more the extraordinarily complicated and subtle relationships he is building up between material, story-teller, and audience around the fire.[29]

Schon einmal geschah die poetische Illusionsdurchbrechung durch die Fürstin, als sie mit ihrem besseren Gedächtnis (Zeder-Pinie) auftrumpfte. Nun wird die Technik noch um einen Grad komplexer: die Zuhörerin, die zunehmend mit der Fiktion verwächst, greift aktiv und kritisch in den Erfindungs-Vorgang mit ein: sie nimmt teil am Erfinden und Erzählen. Damit wird, wenn auch nur vorübergehend, das konventionelle Verhältnis zwischen Stoff, Erfinder und Publikum unstabil. - Die drei von Cangrande erwogenen Erzählmöglichkeiten - wahre Geschichte, Sage, Erfindung - werden von Dante so durcheinander gewürfelt, dass dadurch neue erzählerische Möglichkeiten entstehen. Meyer - und auf einer zweiten Ebene Dante - ist es gelungen, die Grenze zwischen Berichten und Erfinden, zwischen Wirklichkeit und Fiktion ins Schwanken zu bringen: "Dante für sein Teil lächelte zum ersten und einzigen Mal an diesem Abende, da er die beiden Frauen so heftig auf der Schaukel seines Märchens sich wiegen sah" (XII, 64). Ein etwas befriedigtes Lächeln! Denn er, der Heimatlose, der Machtlose bewegt nicht nur seine Gestalten in Padua sondern durch seine ironisierende Erzähltechnik auch die Vornehmen Veronas an den Fäden ihrer Leidenschaft.

Ironie als Maske

So sehr Meyer seinen Dante die dichterische Freiheit begründen und behaupten lässt - durch Distanz gegenüber seinem Stoff, durch mutwillige Schaffung und Zerstörung der poetischen Illusion; so sehr Dante Parze oder Puppenspieler ist: neben diesen Elementen der romantischen Ironie hat Meyer seiner Dantegestalt eine weitere Form von Ironie beigegeben: Ironie als Maske.

Allzu summarisch meiner Meinung nach hat Werner Stauffacher behauptet, dass die Figuren in Dantes Geschichte nichts von dessen Persönlichkeit enthalten, "dafür aber über seinen Kopf hinweg einiges vom Autor".[30] Dem entgegen hatte Ernst Feise auf Parallelen zwischen Dante und Ezzelin hingewiesen: "Die Vermutung ist kaum abzuweisen, dass Dante in der selbstherrlichen Art des Schicksalsspielers Ezzelin mit seiner eignen Kunst, die Fäden seiner Marionetten zu leiten, andeuten wollte".[31] Diese Parallele mit Ezzelin bezieht sich weitgehend auf die von Dante eingeführten Kunstmittel, durch die immer wieder seine Macht und Freiheit, seine Souveränität als Dichter zum Ausdruck gelangen. Es gibt aber auch Momente, wo Dante die eigene Seele in die Geschichte hineinverlegt hat; schon Henel betonte: "...the Dante of _Die Hochzeit des Mönchs_, far from being detached, lends to characters and events his own thoughts and passions".[32] Etwa in Lippis bitterem Angriff auf Florenz (XII, 51, 56f.), wobei Dantes persönliches Vorurteil freilich schlecht verhehlt ist und wofür er sich auch die Kritik Cangrandes einholt. Abgesehen von Ezzelin steht Dante eine zweite Komplementärgestalt in der Geschichte zur Seite, nämlich der Mönch Astorre: zwischen ihm und Dante besteht eine Parallele, die Dante den Menschen und seine ganz private Auffassung von der Liebe betrifft. Plater erwähnt,[33] dass Dante Franziskaner werden sollte, aber den Orden verliess, ehe er sein Noviziat beendet hatte. Wie Astorre wurde auch Dante eine Hochzeit von einem sterbenskranken Vater aufgedrängt. Die Beziehungen zu seiner Frau scheinen distanziert gewesen zu sein. Bekanntlich galt Dantes grosse Liebe Beatrice. Wie Dantes Liebe zu Beatrice ist auch Astorres Liebe zumindest in ihren ersten Regungen halb erotisch, halb religiös. Astorres zweite und schicksalsbestimmende Begegnung mit Antiope findet auf einer Brücke statt; Antiope befindet sich in Begleitung zweier Frauen. Dantes berühmte Begegnung, seine zweite Begegnung mit Beatrice, ereignet sich auf dem Ponte della Trinità; Beatrice ist in Begleitung zweier Frauen; und in dem Augenblick beginnt für Dante, ebenfalls schicksalsbestimmend, die vita nuova.

Ironie ist ein Mittel zum Versteckenspielen. Dante als Lenker der Schicksale seiner Gestalten schiebt den Tyrannen Ezzelin vor; und Dante als einer, der die grosse Liebe erfahren hat, "eine Liebe mit voller Hingabe des Lebens und der Seele", versteckt sich hinter Astorre. In dieser Weise kann er sein Wesen sowohl als Dichter als auch als Mensch verbergen und paradoxerweise gleichzeitig mitteilen.

Dante wurde in Die Hochzeit des Mönchs "herabgedrückt",[34] erzählt wie die anderen Dichter ein "Geschichtchen". Er fungiert, wie schon erwähnt wurde, paradigmatisch, was im Zusammenhang mit dem ironischen Versteckenspielen Folgendes bedeutet: Dante versteckt sich hinter Ezzelin und Astorre, und Meyer - wie zu zeigen gilt - versteckt sich hinter Dante. Meyer und Dante sind gewisse Erzähltechniken gemeinsam: Polarität der Themen (Barmherzigkeit-Gerechtigkeit), paradox pointierte Formulierungen, Umgehen einseitiger Behauptungen charakterisieren beider Stil.[35] Astorre und besonders der junge Meyer gleichen sich in ihrer mönchischen Isolation.[36] Alle drei - Meyer, Dante und Astorre - stehen zwischen zwei Frauen.

Es kann einem nicht entgehen, wie häufig Meyer in der Korrespondenz gerade zur Hochzeit des Mönchs auf die Notwendigkeit des Rahmens zu sprechen kam: "Der Rahmen mit Dante war de toute nécessité,..."[37] oder "Die Neigung zum Rahmen dann ist bei mir ganz instinctiv. Ich halte mir den Gegenstand gerne vom Leibe ...".[38] Karl Fehr meint, dass "(d)ie Selbstironisierung des Erzählers Dante und die Brechung des direkten Lichtes durch das Medium des Erzählers, die in dieser Novelle in so auffälligen Wiederholungen erfolgt,...das eine Ziel (haben), der Erzählhandlung selbst ihr Schwergewicht zu nehmen und sie in weiteste Ferne zu entrücken".[39] Insofern Meyers ganz persönliche Lebensprobleme tatsächlich in der Novelle ihren Niederschlag gefunden haben, dient die Ironisierung des Erzählens tatsächlich als Maske, gewissermassen als Ablenkungsmanöver vom Kernproblem hinweg. Wenn in der Novelle also das Wie stärker als das Was des Erzählens betont worden ist,[40] so muss das teilweise als Selbstschutz und ironische Maske verstanden werden.

Mögen auch intime Nöte in der Novelle zum Ausdruck gelangt sein, so ist sie zugleich, wie Meyer selber wiederholte, ästhetisches Experiment. Haessel gegenüber verlautete er zum Beispiel, der "Mönch" sei "eben eine neue Manier";[41] Wille gestand er: "Ich... bin selbst begierig zu betrachten, welch einem Ungeheuer ich das Leben gegeben habe".[42]

Die Hochzeit des Mönchs ist ein doppelköpfiges "Ungeheuer". Dantes Publikum - und mit ihm auch Meyers Leser - wird ständig aus der Fabel in die Wirklichkeit zurückgewiesen und daran erinnert, dass diese paduanische Tragödie Erfindung ist. Die Härte der Fabel wird durch diese doppelte Brechung tatsächlich gemildert, und die Fiktionalität der Binnenerzählung ist, wie Stauffacher bemerkt, tatsächlich thematisch.[43] Jedoch ist Stauffachers Auffassung nicht voll berechtigt, dass der fiktive Charakter des Rahmens überhaupt nicht angetastet werde und dass der Rahmen - im Gegensatz zur Binnengeschichte - ungebrochenen Realitätsanspruch erhebe; denn ähnlich wie der souveränen Freiheit Dantes gewisse Schranken in der Binnenerzählung gesetzt werden (cf. S. 122), so finden sich umgekehrt im auktorialer gehaltenen Rahmen Nahtstellen, wo die Ironie illusionsaufhebend durchschimmert. So etwa, wenn Meyer die Hofgesellschaft von Manuccio und Helena Manente erzählen lässt (XII, 9), von zwei "entkutteten" Geistlichen, deren Schicksal Meyer ja selber - mit anderen Namen - schon vor der Hochzeit des Mönchs behandelt hatte: Manuccio als Armbruster im Heiligen und Helena Manente als Gertrude in Plautus im Nonnenkloster;[44] oder er gibt vor, nicht recht sicher zu sein, welche Motive Dantes Platzwahl am Feuer bestimmen (XII, 8) - eine Stelle, die dem Danteschen Streichen der Narren entspricht. Zudem lässt Meyer seinen Dante La Rochefoucauld zitieren, womit er doch andeuten will dass auch Dante Erfindung sei.[45] Und wenn in der Novelle wiederholt Ausfälle gegen die Barbarenlaute der deutschen Sprache gemacht werden, wo doch gerade diese Sprache des Autors eigenes Medium ist, dann wird die Illusion, dass die Geschichte auf Italienisch vorgetragen werde, ironisch durchbrochen.

Natürlich ist Meyer Erfinder erster und Dante zweiter Instanz. Gewisse Ähnlichkeiten in der Erzählhaltung zwischen den beiden sind aber nicht zu übersehen. Das Bestreben um Balance, um ironisches Gleichgewicht ist, wie in vorausgegangenen Kapiteln schon gezeigt worden ist, typisch für Meyers Erzählen überhaupt. Die

Hochzeit des Mönchs ist wie kein anderes Werk Meyers Parodie des eigenen Schaffens, ein in diesem Sinne zu verstehendes "non plus ultra".[46] In der Parodie wird "durch Übertreibung etwas Vorhandenes nachgeahmt",[47] und wie subtil dieses Übertreiben sein kann, hat zum Beispiel Beda Allemann aufgezeigt.[48] Parodie steht in engstem Zusammenhang mit Ironie: beide sind auf den voll durchleuchteten Raum angewiesen; beide rütteln am Gegebenen und stellen es in Frage. Eben hierin dürfte man wohl einen Grund sehen, warum Meyer nach der Hochzeit des Mönchs der Ironie nie wieder so freien Lauf liess, warum er fortan von der Rahmenform absah und die "neue Manier" - Parodie der alten Manier - nicht weiterverfolgen wollte. In dieser Novelle sind Dichter und Dichtung paradigmatisch; sie sind zugleich aber auch Gegenstand der Ironie und Parodie. Meyer, der sonst an den sakralen Charakter der Dichtung und des dichterischen Berufes glaubte, hat hier an den Fundamenten seiner künstlerischen Existenz gerüttelt; auch für Meyers Unterfangen mögen Germanos Worte zu Astorres Klosteraustritt gelten: "...das Gegenteil (wäre) noch hübscher gewesen" (XII, 37).

SCHLUSS

Die drei Hauptabschnitte der vorliegenden Arbeit haben einen grossen Reichtum an ironischen Erzählformen in Meyers Prosawerken aufgedeckt, aber auch gezeigt, dass gewisse Grundformen konsequent wiederkehren. Die Ergebnisse sollen hier kurz zusammengefasst werden.

Meyers Ironie tritt, wie im zweiten Teil erläutert wurde, in der polaren Themenstellung seiner Novellen zu Tage. Sie erweist sich hier -- in Übereinstimmung mit dem Ironiebegriff Thomas Manns in den Betrachtungen eines Unpolitischen -- vor allem als Wille zur Vermittlung, zum "positiven Ergebnis": Hans Schadau lernt seinen Extremismus überwinden, indem er erkennt, dass der "Glaube an den Glauben" - sei es Calvinismus, sei es Katholizismus - für die menschliche Gesellschaft zutiefst zerstörerische Konsequenzen haben kann, und das Güte und Duldung unabhängig von konfessioneller Zugehörigkeit zu bestehen und wirken vermögen; Pescara wägt zwischen der fanatischen spanischen Treue und der korrupten Menschlichkeit Italiens, indem er die positive Synthese dieser beiden Pole anstrebt: dem Kaiser bleibt er treu, und mit Italien verfährt er menschlich. - Typisch für Meyers ironische Erzähltechnik ist die Tatsache, dass es weder im Amulett noch in Die Versuchung des Pescara (oder jeder anderen Novelle Meyers) bei einer einfachen Gegensätzlichkeit in der Thematik bleibt, sondern dass vielmehr jede dieser Kontrapositionen noch einmal in Gegensätzlichkeiten unterteilt wird. Meyer breitet somit eine Vielfalt von Ansichten, von Wahl- und Deutungsmöglichkeiten aus, um voreilige oder einseitige Stellungnahmen zu verhüten, sowohl unter seinen Gestalten als auch in seinen Lesern. - Die Welt ist zerrissen; in diesen beiden Novellen durch politische und religiöse Parteien; aber auch der Einzelmensch trägt einen Zwiespalt in sich selbst, ist immer wieder "Bürger zweier Welten". Die Aufgabe des Einzelnen, wie Meyer sie ihm stellt, besteht darin, diese Widersprüche in sich selber zu überbrücken. Schadaus "Bürgerlichkeit" besteht im ironischen Ausgleich zwischen Herz und Verstand; und Pescara wird neuer Mensch, weil er sich für jene Werte entscheidet, die über Parteiinteressen erhaben sind; damit löst er wenn auch nur vorübergehend die weltweiten politischen Spannungen, vor allem aber jene in seiner eigenen Brust.

Ein entsprechendes Ironieprinzip bekundet sich in einer ganz anderen Form der Ironie bei C. F. Meyer: Polyvalenz des Stils entsteht durch kontrastive Doppelung stofflicher Ebenen, besteht in der Mehrschichtigkeit und Überkreuzung der Erzählstränge und resultiert aus der Friktion verschiedener Sprechweisen. In jeder dieser Varianten ist die Wirkung dieses Gestaltungsmittels hochironisch. - Der Schuss von der Kanzel ist zunächst auf Zusammenstoss und dann auf Integration der beiden stofflichen Ebenen "Hellas" und "Helvetien" ausgerichtet. Ganz deutlich kommt die ironische Koppelung zum Beispiel im Dorfnamen Mythikon zum Ausdruck.[1] Diese am einzelnen Wort schon erkennbare Technik der Konfrontation und gleichzeitigen Verschmelzung zweier Welten erfasst im Schuss von der Kanzel in konzentrischer Ausweitung die Gesamtstruktur der Novelle. - Im Heiligen reiben und überkreuzen sich verschiedene Perspektiven und Charakterpotenzen derart, dass jegliche gefestigte Vorstellung davon, was Legende und Heiligkeit sind, ins Wanken geraten. In der "ironischen Objektivität", zu welcher das kunstvolle Zusammenspiel der beiden Erzählstränge führt, hat Meyers Überzeugung von der zutiefst zweideutigen Heiligkeit des Thomas Becket ihren Niederschlag gefunden. - Ganz verschiedene Sprachstile werden im Leiden eines Knaben auf ihre Zuverlässigkeit als Kommunikationsmittel hin geprüft. Diskurs als Hülle für die nackte Wirklichkeit und Diskurs als Mittel zur Erkenntnis werden vom Dichter in dramatische Spannung zueinander gebracht. Mit der Darstellung von sprachlicher Uneinheitlichkeit und von verzweifeltem Bemühen um Verständigung will Meyer das Versagen des Menschen und der "Einrichtung dieses Erdballs"[2] allgemein innerhalb der Gegebenheiten dieser Novelle aufdecken.

Im Abschnitt über ironisches Erzählen schliesslich wurde gezeigt, wie Meyer in den beiden Novellen Plautus im Nonnenkloster und Die Hochzeit des Mönchs zwei Erzählergestalten und den Vorgang des Erzählens überhaupt ironisch darstellt. Da Meyer hier seine Zunftgenossen und das eigene Handwerk kritisch beobachtet, trifft die Ironie auch ihn selber. Mit der Gestalt des Humanisten Poggio ironisiert er einerseits einen weitgehend standpunktlosen, ironischen Erzähler dem - von einer einzigen Ausnahme abgesehen - das Schöne wichtiger ist als das Wahre; er zeigt zugleich aber auch, dass des Dichters Publikum und der Geist der Zeit mitverantwortlich sind für gerade dieses und kein anderes schriftstellerisches Engagement. In Die Hochzeit des Mönchs ist Erzählen in all seiner Fragwürdigkeit und Freiheit Gegenstand der Erzählung. Was immer der Laie für Vorstellungen haben mag vom dichterischen Prozess - von Themenwahl, Standpunkt des Dichters,

Freiheit des schöpferischen Menschen -, all dies wird verunsichert. Die komplexe Beziehung und gegenseitige Durchdringung von Rahmen- und Innenvorgang erwecken den Eindruck des Unsteten und Fliessenden: den Leser zwingt diese Form zum Nachdenken über den dichterischen Prozess; für Meyer selbst ist es eine kritische Auseinandersetzung mit dem eigenen Schaffen. Meyer, der sich selten direkt zu seinem Werk geäussert hat - es ist undenkbar, dass er wie zum Beispiel Thomas Mann ein ausgiebiges und mitteilungsfreudiges Werk über die Entstehung eines eigenen Werkes geschrieben hätte -, schaut sich mit ironischem Abstand, über Dantes Schulter sozusagen, in die eigenen Karten.

Es ist eindeutig eine Kontinuität und Progression ironischer Erzähl-Technik in Meyers Novellen erkennbar. Die einzelnen Erscheinungsformen der Ironie haben sich im Laufe seiner schöpferischen Jahre gewandelt, und es gilt zu bedenken, dass Meyer selbst in einer für seinen Stil so bezeichnend ironisch-antithetischen Prägung feststellte:

> ...das Fertige, Vollendete ist unvollkommen, das Werdende allein kann uns mit dem Schein der Vollendung täuschen u beseligen.[3]

Mit dieser ironischen Wortgegenüberstellung macht Meyer deutlich, dass jedes seiner Werke erneuten Aufbruch nach einem immer höheren Kunstideal bedeute, das sich letztlich dem Dichter doch wieder entzieht. Vergleicht man die in den verschiedenen Teilen dieser Arbeit besprochenen früheren Werke Meyers mit den jeweils späteren, dann lässt sich in jeder der drei Gruppen - polare Themenstellung, Polyvalenzen des Stils und Ironisierung des Erzählens - dieselbe Feststellung machen: wir beobachten fraglos eine Intensivierung der ironischen Praxis, die sich in der Verfeinerung des ironischen Stils und der Vertiefung der für die einzelne Novelle spezifischen Problematik bekundet. -

So teilen zum Beispiel Schadau und Pescara die doppelte Wesensanlage, doch der Bewusstseinsgrad dessen, was sie sind, unterscheidet die beiden deutlich von einander. Schadau - der junge Welt-Zugekehrte - ist sich der eigenen doppelten Anlage (Herz - Verstand) nicht bewusst, und muss durch das Beispiel anderer auf die rechte Bahn gelenkt werden. Selbst wenn für Das Amulett ein betont positiver Begriff der "Bürgerlichkeit" Schadaus herausgearbeitet wurde, ist nicht zu übersehen, dass dem jungen Mann eine unglaubliche Reihe von glücklichen Zufällen zur Rückkehr in die Heimat verhilft, wo er einem ruhigen, langen Leben entgegenblicken darf. Pescara hingegen - aus der Sicht des Todgeweihten - weiss um die zwei Seelen in seiner Brust; er kann sich nur auf die Kraft in seinem eigenen Wesen verlassen. Obschon ein Sterbender wendet er in einem einsamen Entschluss seinen ganzen Willen auf, um jene "innere Politik" in sich selbst und in der Welt durchzusetzen. Auch für Pescara kommen Friede und Ruhe. Jedoch im Gegensatz zu Meyers frühster Novelle, Das Amulett, endet Die Versuchung des Pescara nicht mit dem vom Helden erfochtenen "positiven Ergebnis"; nun, da er keine der beiden Seelen in seiner Brust verraten und damit seinen Lebenskonflikt gelöst hat; nun, da er zum neuen, zum vollendeten Menschen sich geläutert hat, stellt Meyer Pescara vielmehr an eine neue Schwelle menschlichen Daseins: Pescara ist ein Sterbender, in der Spannung zwischen Leben und Tod.

Hält man den Schuss von der Kanzel dem Heiligen oder dem Leiden eines Knaben entgegen, so fällt zunächst auf, dass sich die beiden späteren Novellen allein schon durch die Rahmenkonstruktion und der daraus resultierenden komplexeren Zweiheit von der früheren Novelle unterscheiden. Doch vertieft sich über die Struktur hinaus auch die Problematik. -- Im Schuss von der Kanzel wird das Landeskirchliche und Brav-Bürgerliche einer "Revision" unterzogen, wenn der Gott Dionysos mit seinem Gefolge in die Mythikoner Welt einzieht. In dieser Novelle lässt Meyer die sich daraus entwickelnden Spannungen durch einen menschlich-mythischen deus ex machina (Wertmüller) harmonisch auflösen; Meyer hat, was in einer fernen Zeit Tragödienstoff war, hier zur Komödie umgestaltet: der Wahrheit, d.h. den echten Neigungen werden geradezu idyllisch ihr gutes Recht eingeräumt. - Wegen der Verschränkung der Erzählstränge wird hingegen im Heiligen die "Idylle" (des Rahmens) fragwürdig. Psychologisch summarische Typisierungen vermögen die volle Individualität des Einzelmenschen nicht zu erfassen; das gilt natürlich vor allem für den Heiligen, betrifft aber auch die anderen Hauptgestalten. Verschiedene Formen des Berichtens und ihr Wahrheitsanspruch werden gegeneinander gestellt, ohne jedoch zu einem eindeutigen Ergebnis zu führen. Am Ende der Novelle, die Meyer so vieldeutig wie das Leben konzipierte, ist jegliche Transparenz aufgehoben. - In Das Leiden eines Knaben, wo Meyer - umgekehrt wie im Schuss - einen Komödienstoff zur Tragödie verdunkelt, hält er der kultivierten Welt einen Zerrspiegel entgegen, der sie ins Groteske verkehrt. Menschen gleichen Tieren; Tiere gleichen Menschen. Diejenigen, die das Gute wollen, können es nicht; und die es könnten, wollen es nicht. Der ironische Auflösungsprozess innerhalb dieser Novelle geht so weit, dass einerseits immer wieder darauf gedrungen wird, die Wahrheit blosszulegen, dass andererseits - vom Ende der Novelle her betrachtet - dieses Grundanliegen vom Autor als fragwürdig hingestellt wird: insofern Meyer andeutet, dass der schöne Schein gnädiger ist als die Wirklichkeit.

Die schwankhafte Novelle Plautus im Nonnenkloster setzt den Erzähler Poggio mit seiner standpunktfreien Schöngeistigkeit einer weitgehend gutmütigen Ironisierung aus. Eine völlig neue Dimension hingegen öffnet sich in Die Hochzeit des Mönchs. Im Vergleich mit Poggio bleibt der Wert der Dichtergestalt Dantes verhältnismässig unangetastet; was er von Meyer an Ironisierung erfährt, gilt kaum seiner individuellen Persönlichkeit, bezweckt vielmehr, den "Dichter" überhaupt aus seiner olympischen Entrücktheit dem Rest der Menschheit näher zu bringen. - Poggio, der ein eigenes Erlebnis berichtet und selbst zum Protagonisten wird, ist bei weitem nicht der souveräne Dichter, den wir im extemporierenden Dante erkennen. Das Verhältnis zum Publikum ist bei Dante viel subtiler, denn er ist Meister des Puppenspiels auf beiden Erzählebenen der Novelle. Meyer bringt den Leser dazu, seinen Blick am Ende des Plautus auf Poggios Publikum zu wenden, während am Schluss der Hochzeit die ganze Aufmerksamkeit auf die sich entfernende Gestalt Dantes gerichtet bleibt. - Meyer steht seinem Dante wesensmässig merklich näher als seinem Poggio. Dies äussert sich in zweifacher Weise: Wo Dante die Dinge nicht offen sagen will, da sagt er sie - wie sein Autor - verhüllt und ironisch; Ironie dient als Maske. Ferner fällt in dieser Novelle der Rahmen besonders ins Gewicht, denn hier wird jene Form der Ironie eingesetzt, an der sich die Kraft der eigenen Kunst messen lässt: Ironie als Vorweisung des Werkzeuges. Dem Rahmen kommt hier die Funktion zu, poetische Illusion zu zersetzen und den schöpferischen Prozess in Frage zu stellen. Mit dieser kritisch ironischen Anleuchtung des Danteschen Verfahrens hat aber Meyer den eigenen Lebensnerv berührt, indem er hier auf eine Gefährdung seiner Kreativität anspielt. Daher verzichtet er auch hinfort auf die Rahmenform, dieses "non plus ultra", das zur Auflösung des Kunstwerks überhaupt führen könnte.

Je tiefer Meyers Fragen dringen - Fragen nach dem Sinn der ethischen Tat sub specie mortis (Pescara), nach "der Glaubwürdigkeit der Dinge" (Leiden), dem Wesen des dichterischen Schaffens (Hochzeit) - desto komplexer werden die entsprechenden Erscheinungsformen seiner Ironie. Georges Brunet bemerkt zu Meyers Werk allgemein:

> Voilà qui est curieux en effet: Meyer aspire à l'unité, mais lorsqu'il trouve une image de celle-ci, il la déclare trompeuse. En fait il se complaît dans ses contradictions et ne désire trouver l'unité que pour la remettre immédiatement en question.[4]

Im Zusammenhang mit der vorliegenden Besprechung der Meyerschen Ironie führt Brunets Bemerkung zu der Überlegung, wo oder wann der Prozess seiner Ironie sein Ziel erreicht; wo die zersetzenden, die verunsichernden, die unbequemen Fragen denn eigentlich aufhören. Damit berührt man allerdings ein Problem, das nicht nur bei einer Analyse der Meyerschen Ironie von zentraler Bedeutung ist, sondern sich vielmehr für alle echt ironische Dichtung stellt: es ist die Auseinandersetzung mit dem destruktiven, dem negierenden Aspekt der Ironie überhaupt.

Während Solger an der vermittelnden und konzilianten Seite der Ironie nicht zweifelt, ihre Hauptaufgaben im Sichern der Universalität sieht, und die künstlerische Ironie als "das Wesen der Kunst, die innere Bedeutung derselben" bezeichnet, hebt er doch als erster in neuerer Zeit mit eindringlicher Betonung hervor, dass der Ironie zugleich etwas Negatives und Destruktives anhafte. "Was aus der Vernichtung hervortritt, ist...das Bewusstsein der Nichtigkeit auch der höchsten Idee".[5] Nietzsche, der die Ironie einzig als pädagogisches Mittel billigt, findet im übrigen, sie verderbe den Charakter, weil sie "allmählich die Eigenschaften einer schadenfrohen Überlegenheit" verleihe.[6] In Anlehnung an Nietzsche betrachtet Beda Allemann die Ironie als "in einem umfassenderen Sinn mit in den europäischen Nihilismus" gehörig.[7] Haakon Chevalier glaubt an den totalen Relativismus und die permanente Standpunktlosigkeit der ironischen Haltung; Ironie sei die Flucht vor den fundamentalen Problemen und Verantwortungen des Lebens:

> The ironist accepts the chaos. He has no preconceived hierarchy of values to guide him in selection and rejection. All things are of equal value.[8]

Eine ganz andere Auffassung vom Wesen der Ironie vertritt Wayne C. Booth. Seine die verschiedensten Ansichten miteinbeziehenden Ausführungen sind eine Apologie der Ironie, eine Ablehnung ihres letztlich destruktiven Charakters, und treffen meiner Meinung nach überzeugend das Wesen der Ironie in der spezifisch Meyerschen Prägung:

> ...the ironist of infinities suggests that there is, after all, a Supreme Ironist, truth itself, standing in his temple above us, observing all authors and readers in their comic or pathetic or tragic efforts to climb and join him. For

> such an ironist it is not so much the whole of existence that is absurd as it is mankind in the proud claim to know something about it... every proposition will be doubted as soon as uttered, then undercut by some other proposition that in turn will prove inadequate. The meanings are finally covert. But both the effort to understand and the particular approximations, inadequate as they are, will be worthwhile: the values are stable.[9]

C. F. Meyer gibt nirgends in seinen Novellen eine im Voraus festgesetzte Hierarchie der Werte; oder genauer: wo er solche überhaupt darstellt - man denke an Schadaus dogmatischen Calvinismus und Burkhards längst fixierte Heiligenauffassung - da wird an ihnen gerüttelt. Dieses Rütteln als Warnung vor falscher Absolutierung bedeutet aber nicht, dass sämtliche Werte durch die dichterische Ironie bis ins Substanzlose zersetzt werden.

Meyer meinte zwar, "auf der Welt u auch in meinem Kopfe hat Vieles nebeneinander Platz",[10] womit er also die Gültigkeit anderer Standpunkte anerkennt. Doch geht aus dieser Formulierung ebenfalls hervor, dass für ihn zwar Vieles aber durchaus nicht Alles Wert hat und nebeneinander Platz findet. Ein besonders eindringliches Beispiel hierzu ist Pescara, der am Abend vor der Schlacht, die politischen Ränke der Welt überdenkend, die geheimen Dokumente verbrennt, jedoch das Schreiben des Kaisers als Symbol eines höheren Wertes gesondert zerstört.

In Die Versuchung des Pescara hatte sich Meyer vorgenommen, das Ethische "mit Posaunen und Tubenstössen"[11] zu verkünden; doch zeigt die eben erwähnte einsame Geste des Feldherrn besonders schön, dass gerade solche allzu lauten, dem Wesen des Ironischen eigentlich fremden Ankündigungen in Meyers künstlerischem Schaffen gedämpft werden: Pescaras ethische Tat vollzieht sich im Stillen, so wie auch andere Meyersche Ironiker in entscheidenden Momenten der Erkenntnis schweigen. Wertmüller, der echten und natürlichen Zuneigung zweier junger Menschen begegnend, verzichtet auf ein ironisches Wort: er schweigt; Fagon schweigt vor Entsetzen über die Verlogenheit des Königs; lautlose Stille herrscht um den Kanzler und sein totes Kind; und Dante schweigt, sein Gesicht verhüllend, in Leid und Isolation. Seltsam mutet es an, in der heutigen Meyer-Kritik immer noch auf Vorwürfe zu stossen, dass sein Interesse - auf Kosten der Substanz - dem "Kostüm" gelte, der "Draperie", dem "Faltenwurf",[12] wo doch ausgerechnet ein grosser Ironiker in Meyers Werk (Fagon) forderte, dass man die verhüllenden Tücher und Schleier wegziehe. Gewiss, gründerzeitliche Stiltendenzen in Meyers Werk lassen sich nicht wegleugnen, sie sind jedoch bei ihm integraler Teil des ironischen Prozesses:

Masken werden vorgehalten, um durchschaut zu werden; die Draperie wird verschoben, bis ein Kostüm nicht mehr sitzt; der Faltenwurf durcheinandergebracht, damit Blössen durchschimmern. Durch behutsam ironisches Verfahren gibt Meyer vor, er sei "Eines Glaubens mit der Welt", um "langsam, unvermerkt aus dem Irrthum die Wahrheit (zu) entbinden".[13] Vor dem ganz Echten und ganz Wahren - sei es selig oder unselig - macht Meyers Ironie halt. Auf sein ironisches Erzählen passt die Definition Kierkegaards: "Die Ironie ist als das Negative der Weg, - nicht die Wahrheit sondern der Weg".[14]

Das subtile Spiel der vielfachen Gegensätze sowie die Mehrschichtigkeit der Stoffe und erzählerischen Ebenen in Meyers Novellen heben die Eindimensionalität der Weltschau und Geradlinigkeit des künstlerischen Verfahrens auf. Doch ist Meyer als ironischer Dichter weit davon entfernt, das Chaos zu akzeptieren. So paradox es auch anmutet, im Laufe dieser Untersuchung hat sich vielmehr ergeben, dass die ironische Technik auf dem Weg über Verunsicherung und Zersetzung darauf ausgerichtet ist, in formaler wie gehaltlicher Hinsicht Ausgleich und souveräne Ordnung im künstlerischen Werk herzustellen: Ausgleich zwischen einander scheinbar ausschliessenden konfessionellen, politischen oder charakterlichen Positionen; souveräne Ordnung durch das Symmetrie-Bestreben, wie es etwa in der Verschränkung von Rahmen- und Binnenerzählung, in der Personenkonfiguration oder im Zusammenspiel stofflicher Ebenen bei Meyer immer wieder zum Ausdruck gelangt. Wenn C. F. Meyer seinen fiktiven Hörern in den Werken und seinen Lesern dabei bisweilen den Boden unter den Füssen wegzieht, dann geschieht dies nicht um der totalen Auflösung willen sondern vielmehr "in der Hoffnung, der Hörende werde aufmerksam werden und selbst hindenken".[15]

ANMERKUNGEN

EINLEITUNG

I. ZUR ZIELSETZUNG UND METHODIK

1. _Ironische Erzählformen bei Conrad Ferdinand Meyer: dargestellt am "Jürg Jenatsch"_, Diss. Basel 1969, Basler Studien zur deutschen Sprache und Literatur, Heft 42 (Bern: Francke, 1970).

2. Zu _Angela Borgia_ bemerkt schon Alfred Zäch, _Conrad Ferdinand Meyer: Dichtkunst als Befreiung aus Lebenshemmnissen_ (Frauenfeld/Stuttgart: Huber, 1973), S. 227:

   > Ironie ist in "Angela Borgia" nicht mehr als Grundhaltung wie im "Heiligen" oder im "Pescara" zu treffen. Das überlegene Lächeln ist nicht die Gebärde des Frommen. Büssende, zum Himmel sich Kehrende lächeln nicht. Ironie ist nur noch in einzelnen Bemerkungen zu treffen, zum Beispiel wo üble Vertreter der Geistlichkeit angeprangert werden.

3. _A Rhetoric of Irony_ (Chicago/London: The Chicago University Press, 1974).

4. "Thomas Mann: Theorie und Praxis der epischen Ironie", in _Deutsche Romantheorien_, Hrsg. Reinhold Grimm, 2. Aufl (Frankfurt a. M.: Athenaeum Fischer Taschenbuchverlag, 1974), II, 318-340.

5. _The Compass of Irony_ (London: Methuen & Co Ltd, 1969).

II. ZUM PROBLEM DES IRONIEBEGRIFFS BEI C. F. MEYER

1. Friedrich Theodor Vischer hatte den Dichter den "Tacitus der tiefernst ironisierten...Legende in Versen" (=_Engelberg_) genannt (zitiert in Zäch, _Conrad Ferdinand Meyer_, S. 110); laut Zäch soll auch in der 1897 erschienenen Schrift "Die Kunstmittel in Conrad Ferdinand Meyers Novellen" Heinrich Stickelberger unter anderem die Ironie erwähnt haben (Ibid., S. 262).

2. Siehe G. G. Sedgewick, _Of Irony: Especially in Drama_ (Toronto: University of Toronto Press, 1935), S. 4; Reinhard Baumgart, _Das Ironische und die Ironie in den Werken Thomas Manns_ (München: Carl Hanser, 1964), S. 13; Thomas Mann - _Betrachtungen eines Unpolitischen, Gesammelte Werke in zwölf Bänden_ (Berlin und Frankfurt a. M.: S. Fischer, 1960), XII, 581 - meinte selber, man könne den Begriff der Ironie gar nicht weit genug fassen; D. C. Muecke, _Irony_ (London: Methuen, 1970), S. 1, 8; Booth, S. ix.

3. Beda Allemann, "Ironie," in P. Merker und W. Stammler, _Reallexikon der deutschen Literaturgeschichte_, 2. Aufl. (Berlin: De Gruyter, 1958ff.), I, 756. Ferner Heinrich Lausberg,

Elemente der literarischen Rhetorik (München: Max Hueber, 1963), S. 80.

4. Dichtung und Wahrheit, Werke, 4. Aufl. (Hamburg: Christian Wegner, 1961), IX, 261.

5. Laut Sedgewick: "...this sense of irony as a verbal figure has held the dominant place, usually the only place, in the text-books and word-lists and dictionaries of two thousand years. In common speach, probably, it is still the fundamental form of the idea." (Of Irony, S. 6)

6. In der Antike hat natürlich Sokrates diese Haltung beispielhaft vertreten; hierzu äussert sich etwa Quintilian in Institutio Oratoria, IX, ii, 46. Wayne C. Booth bemerkt: "Wrestling with irony, he and I were not only talking about 'verbal' matters; we were driven into debate about how a man should live." (S. 38)

7. "Ironie" in Reallexikon, I, 756f. Ferner Beda Allemann, Ironie und Dichtung, 2. Aufl. (Pfullingen: Günther Neske, 1969), S. 12f.; Sedgewick, S. 18; Haakon M. Chevalier, The Ironic Temper: Anatole France and his Time (New York: Oxford University Press, 1932), S. 30, 33, 34; Friedrich Schlegel - "Lyzeumsfragment 42," Kritische Ausgabe (München/Paderborn/Wien: F. Schöningh, 1967), II/1, 152 - bemerkt: "Die Philosophie ist die eigentliche Heimat der Ironie... Freilich gibts auch eine rhetorische Ironie...doch ist sie gegen die erhabene Urbanität der sokratischen Muse, was die Pracht der glänzendsten Kunstrede gegen eine alte Tragödie im hohen Styl." Goethe sprach im Zusammenhang von Sterne und Goldsmith von einer hohen Ironie - im Gegensatz zu der schon oben erwähnten "direkten Ironie" (an Zelter, 25.12. 1829, in Briefe (Hamburg: Christian Wegner, 1967), IV, 360).

8. Das Werk Conrad Ferdinand Meyers: Renaissance-Empfinden und Stilkunst (Zürich: Scientia, 1948), S. 101, 109.

9. Deutsche Literatur im bürgerlichen Realismus: 1848-1898 (Stuttgart: Metzlersche Verlagsbuchhandlung, 1962), S. 804f.

10. Arthur Burkhard and Henry H. Stevens, "Conrad Ferdinand Meyer reveals himself: A critical examination of 'Gustav Adolfs Page'," The Germanic Review 15 (1940), 191-212.

11. "Ironie im Werke C. F. Meyers," Germanisch-romanische Monatsschrift N. F. V (1955), 212-222.

12. Oberle, S. 221f.; meine Hervorhebung.

13. "Ironie in der Dichtung C. F. Meyers," Jahresbericht der Gottfried Keller Gesellschaft 24 (1955), 5.

14. Conrad Ferdinand Meyer, S. 58

15. Ibid., S. 59.

16. Siehe Anmerkung I/1, S. 137.

17. "Ironie," Reallexikon, I, 758.

18. Herzog, S. 134ff.

19. "Herzog, Valentin, 'Ironische Erzählformen bei Conrad Ferdinand Meyer dargestellt am 'Jürg Jenatsch',"' The German Quarterly XLVI, 4 (1973), 642.

20. Der undatierte Brief stammt wohl von Ende Mai 1881; in Conrad Ferdinand Meyer und Louise von François, Ein Briefwechsel, Hrsg. Anton Bettelheim (Berlin: Georg Reimer, 1905), S. 12.

21. Auch Probleme, die seine eigene unmittelbare Gegenwart betreffen, behandelt er offensichtlich lieber in der Vergangenheit: "Es ist überdies merkwürdig dass jene Zeit (Anfang des 17. Jahrh.) zur Besprechung derselben Fragen Anlass gibt, ja nötigt, die jetzt die Welt bewegen: ich meine den Conflikt von Recht u. Macht, Politik u. Sittlichkeit." So zum Jürg Jenatsch an Haessel am 26.9.1866, in Conrad Ferdinand Meyer, Briefe, Hrsg. Adolf Frey (Leipzig: H. Haessel, 1908), II, 13.

22. Kritische Gänge (Tübingen: Ludwig Friedrich Fues, 1844), II, 248. Theodor Fontane zum Beispiel stellt die umgekehrte Forderung: "Der Roman soll ein Bild der Zeit sein, der wir selber angehören, mindestens die Widerspiegelung eines Lebens, an dessen Grenze wir selbst noch standen oder von dem uns unsere Eltern noch erzählten." (Sämtliche Werke: Aufsätze, Kritiken, Erinnerungen (München: Carl Hanser, 1969), I, 319)

23. In diesem Zusammenhang sollte auch die Bemerkung Meyers verstanden werden, er habe die Lukrezia Borgia den Professoren aus den Händen genommen. Gemäss Meyer kommt also die aus der ironisch distanzierten Perspektive des Dichters geschaute Lukrezia Borgia - frevelhaft wie sie ist - der menschlich wahren Gestalt viel näher, als dies in der Geschichtsschreibung der Fall ist. (cf. Meyer an Fr. v. Wyss am 22.8.1891, Briefe, I, 100 und an Felix Bovet am 6.9.1891, Briefe, I, 142.)

24. Am 10.12.1883; zitiert in C. F. Meyer, Sämtliche Werke (Bern: Benteli, 1961), XII, 250. - Ähnlich hatte sich schon Tieck geäussert: "Sie (die Ironie) ist nicht bloss negativ, sondern etwas durchaus Positives. Sie ist die Kraft, die dem Dichter die Herrschaft über den Stoff erhält; er soll sich nicht an denselben verlieren, sondern über ihm stehen." (Zitiert in Helmut Prang, Die romantische Ironie (Darmstadt: Wissenschaftliche Buchgesellschaft, 1972), S. 37).

WERKANALYSEN

I. POLARE THEMENSTELLUNG

1. "Lyzeumsfragment 108," Kritische Ausgabe II/1, 160.

2. Die romantische Ironie in Theorie und Gestaltung, Habil. München, 1958, Hermaea: Germanistische Forschungen, N. F. Band 6, 2. Aufl. (Tübingen: Max Niemeyer, 1977), S. 234.

1. Protestantismus und Katholizismus: Das Amulett

1. Den Ausdruck entlehne ich Koopmanns Thomas Mann-Aufsatz (S. 332).

2. Die Zahlen in Klammern beziehen sich durchgängig auf C. F. Meyer, Sämtliche Werke: Historisch-kritische Ausgabe, be-

sorgt von Hans Zeller und Alfred Zäch (Bern: Benteli, 1958ff.); die römischen Zahlen geben die Bandnummer der Gesamtausgabe an, die arabischen verweisen auf die Seitenzahl.

3. In seiner Traumvision während der Bartholomäusnacht geht Schadau dann - freilich unbewusst - der Sinn dieser Problematik auf (cf. S. 28).

4. An Frau Anna von Doss, 2.10.1873; zitiert bei Per Øhrgaard, C. F. Meyer: Zur Entwicklung seiner Thematik (Kopenhagen: Munksgaard, 1969), S. 46.

5. Der Hinweis auf Lessing scheint mir insofern berechtigt, als dass Meyer zur Entstehungszeit des Amuletts sich mit einem verbindlichen Hinweis auf Lessing über religiöse Streitfragen verbreitete:

   "Was die rel. Dinge betrifft, so bin ich der Ansicht, dass wir der grossen, nationalen Linie: Lessing-Kant-Schleiermacher folgen, dh freie Wissenschaft verbinden mit religiöser Innigkeit die z.B. Lessing ganz gewiss besass vide Nathan und uns unter kein Joch beugen weder unter ein spiritualistisches, noch ein materialistisches. Die Mitte ist hier das Wahre."

   So 1872 an Mathilde Wesendonck. Zitiert von David A. Jackson, Conrad Ferdinand Meyer: In Selbstzeugnissen und Bilddokumenten (Reinbek bei Hamburg: Rowohlt Taschenbuch, 1975), S. 57.

6. Da gibt es die klassischen Schurken, Pistolen und Degen, Verliebte und Tote; einen frischgebackenen Ritter, dessen Ehre in einem Duell - natürlich im obligaten Morgengrauen - gerettet werden muss; die schöne Schlanke, die sich eben noch heroisch verteidigte und jetzt ihrem Hans ohnmächtig in die Arme fällt; und wenn alles schon verloren scheint, siehe, da kommt ein rettender Engel, der auch den Damensattel nicht vergessen hat; das Schlösschen wartet am heimatlichen See, trotz Tränen happy end, Vorhang.

7. So etwa Karl Fehr, Conrad Ferdinand Meyer (Stuttgart: Metzler, 1971); Brunet, C. F. Meyer et la nouvelle (Paris: Didier, 1967), S. 165: "considérons donc cette nouvelle comme un exercice." In letzter Zeit ist der Novelle wieder vermehrt Beachtung geschenkt worden, wobei man jeweils gerade ihre Stärken betont hat: Gunter H. Hertling, "Religiosität ohne Vorurteil: Zum Wendepunkt in C. F. Meyers 'Das Amulett'," Zeitschrift für deutsche Philologie 90 (1971), 526-45; David Jackson, "Schadau the Satirized Narrator in C. F. Meyer's 'Das Amulett'," Trivium 7 (1972), 61-69; George W. Reinhardt, "The Political Views of the Young C. F. Meyer: With a Note on 'Das Amulett'," German Quarterly 45 (1972), 270-94; Paul Schimmelpfennig, "C. F. Meyer's Religion of the Heart: A Reevaluation of 'Das Amulett'," Germanic Review 47 (1972), 181-202.

8. Siehe Ch.-M. Des Granges, Les grands écrivains français (Paris: Hatier, 1930), S. 121: "L'impression que donne Montaigne à qui l'a lu et relu, est non pas celle d'un sceptique qui doute de tout, mais celle d'un esprit très ouvert, très intelligent, qui craint de tomber dans l'erreur ou dans l'injustice en adoptant des opinions absolues et tranchantes. A l'époque ou divers partis veulent imposer violemment leurs convictions, où chacun dit brutalement: 'Je sais!', Montaigne murmure tout doucement: 'Que sais-je?' Et la balance qu'il a fait graver au frontispice des Essais est moins encore l'emblême du doute que le symbole de

l'équité."

9. Hermann Siegel - "Das grosse stille Leuchten" Betrachtungen über Conrad Ferdinand Meyer und sein Lebenswerk (Basel: Rudolf Geering, 1935), S. 55 - hat gezeigt, dass der Calvinismus im Amulett auch noch in anderer Hinsicht problematisch erscheint, nicht nur in Bezug auf seine Lehre, sondern auch in Bezug auf sein Lebensgefühl und sein Streben. Zum Lebensgefühl sagt Montaigne Folgendes: "...ihr Hugenotten verfehlt Euch gegen den ersten Satz der Lebensweisheit: dass man das Volk, unter dem man wohnt, nicht durch Missachtung seiner Sitten beleidigen darf...ihr Hugenotten kleidet euch düster, tragt ernsthafte Mienen, versteht keinen Scherz und seid so steif wie eure Halskragen. Kurz, ihr schliesst euch ab, und das bestraft sich in der grössten Stadt wie auf dem kleinsten Dorfe!" (XI, 59). Siegel bemerkt hierzu: "Das Kulturverneinende, Unkünstlerische dieser Lebensstimmung muss gerade Meyer, der ästhetisch Feinfühlende, stark empfunden haben." - Wiederum Montaigne kritisiert das Streben der Calvinisten: "Vier Fünfteile einer Nation von dem letzten Fünfteil zu etwas gezwungen, was sie nicht wollen - ... - das kann die Atmosphäre schon elektrisch machen." (XI, 54), d.h. eine Minderheit will eine Mehrheit in einen Krieg mit dem Ausland ziehen, um die konfessionellen Unruhen im Innern zu entschärfen.

10. Siehe Anmerkung 9; andererseits macht Meyer auch gelegentlich skeptische und ironische Bemerkungen über den freien Willen, z.B. Jürg Jenatschs kurzes "Das ist brav von dir..." als einzige Erwiderung auf Wasers Verteidigung der menschlichen Willensfreiheit (XI, 54); wie auch Meyer persönlich - in einem Brief an Betsy - meint, er "inklinire...ganz wieder für die Nothwendigkeit, die weit weniger Lärm macht, da sie ein ganz stilles System ist, als der geräuschvolle freie Wille". (aus Neuchâtel, o. D., zitiert in Robert d'Harcourt, C. F. Meyer. La Crise de 1852-1856: Lettres de C. F. Meyer et de son entourage (Paris: Félix Alcan, 1913), S. 115).

11. Werner Kohlschmidt, "C. F. Meyer und die Reformation," Gottfried Keller-Gesellschaft XXVII (1959), S. 5.

12. Grotesk wirkt auch der alte Boccard, der sich darüber beklagt, dass die gute Dame von Einsiedeln die Macht verloren habe, seit die Ketzerei in die Schweiz eingedrungen sei. Selbst für die Rechtgläubigen könne sie nichts mehr ausrichten. Wie ist es somit um die Allmacht der Muttergottes bestellt, wenn die Ketzerei ihr so viel anhaben kann? Ihre Allmacht, an die er doch als frommer Katholik glauben sollte, wird ironisch relativiert, wenn nicht überhaupt fundamental in Frage gestellt.

13. Øhrgaard, S. 46.

14. Gasparde und Schadau hätten Paris nimmer verlassen wenn es nicht "vorherbestimmt" gewesen wäre, dass (a) der Fechtmeister sein Weib ersticht, auf der Flucht bei Schadaus Onkel angestellt wird und den jungen Calvinisten fechten lehrt, damit dieser als Gespardes "Ritter" mit Guiche duellieren kann; und dass (b) Schadau dem Böhmen versehentlich die Chance zum Entfliehen gibt: daraufhin kann der Fechtmeister nämlich den Admiral ermorden, hat sich zuvor vorsichtshalber Reisepapiere geben lassen, sollte der Streich fehlgehen, und ist nun zur rechten Zeit am rechten Stadttor, um den Flüchtenden Pferde, Reisepass und - Damensattel zu beschaffen. - Man vergleiche auch Fehr, S. 49.

15. Øhrgaard, S. 46.

16. Brief an Betsy. Zitiert bei Harry Maync, *Conrad Ferdinand Meyer und sein Werk* (Frauenfeld und Leipzig: Huber, 1925), S. 77.

17. Vischer, *Kritische Gänge*, I, 54.

18. Am 10.10.1866; *Briefe*, I, 14.

19. Koopmann, S. 330.

20. Hier ist Meyer hochironisch, wenn man bedenkt, dass die Schweiz später noch von *zwei* Glaubenskriegen heimgesucht wurde: von den beiden Villmergerkriegen, 1656 und 1712.

21. Brunet, S. 173.

22. Den Namen *Pfyffer* verbindet jeder Schweizer sofort mit dem berühmten Luzernergeschlecht; Ludwig Pfyffer (1524-1594) zum Beispiel, Schultheiss von Luzern (1571), hatte als Oberst in französischen Diensten gestanden (also *gegen* die Hugenotten) und war ein bedeutender Politiker der katholischen Reform. Umso wichtiger ist die Tatsache, dass Meyer dem Hauptmann hier einen Zug von Humanität lässt.

23. Schadau erinnert einen hier an Parzival, der - ebenfalls aus edelsten Absichten - die für Anfortas erlösende Frage nicht stellt und sich unwillentlich verschuldet.

24. In ganz leise ironischer Variation wiederholt sich übrigens Schadaus Lebenslauf an seinem Sohn, der zwar noch im Dienst der Generalstaaten steht, aber drauf und dran ist, mit einer blonden runden Holländerin einen Hausstand zu gründen.

25. Karl Schmid, *Unbehagen im Kleinstaat* (Zürich und Stuttgart: Artemis, 1963), S. 71.

26. Das Argument des Oheims ist logisch einwandfrei: Kurz vor dem Weltende ist eine Spaltung nicht zu verantworten. Es ist jedoch nicht die Logik des Dogmatikers, die hier durchexerziert wird (man denke vergleichsweise an die Predigt Panigarolas!); denn hinter der Argumentation verstecken sich Ironie und Selbstironie: implizit gibt er zu, dass man zu einem *anderen* Zeitpunkt den Übertritt zum Protestantismus erwägen könnte, dass auch eine andere Konfession ihr Gutes haben mag; gleichzeitig ironisiert er sich selber, wenn er zugibt, dass er vor einem Risiko nur auf eine sichere Karte setzt.

27. Øhrgaard, S. 44. Es ist sicherlich Meyers *ironische* Absicht, Hans Schadaus Geburtsjahr mit Servets Todesjahr zusammenfallen zu lassen. Hans Schadau ist somit im Zeichen dogmatischer Verfolgung geboren worden.

28. Siegel, S. 53.

29. Günther Müller hat in seinem Artikel - "Über das Zeitgerüst des Erzählens (Am Beispiel des 'Jürg Jenatsch')," *Deutsche Vierteljahrsschrift* XXIV (1950), 1-31 - zwischen Erzählzeit und erzählter Zeit (1) unterschieden und (2) das Bestehen eines funktionalen Verhältnisses zwischen den beiden festgestellt (S. 26). Wendet man diese Begriffe auf *Das Amulett* an, so ergeben sich für die Erzählzeit folgende Eckpfeiler: Beginn einige Jahre vor Schadaus Geburt im Jahre 1553 - Ende: 14. März, 1611, am Tag, da der Held seine Erinnerungen niederzuschreiben beginnt. Die erzählte Zeit behandelt vor allem Schadaus Reise nach Paris, d.h. den Sommer 1572. Diese Sommermonate erhalten ihre eigentliche Bedeutung erst, wenn wir sie als *einen* - allerdings den wichtigsten - Teil des

Ganzen betrachten. Es gibt jedoch eine Vorgeschichte: Schadaus Leben bis zum Aufbruch nach Paris und eine Nachgeschichte, diese freilich stark gerafft: die Episode beim alten Schadau. - Was nun solche Einzelphasen einer Erzählung angehen, meint Müller:

> Welche Phasen erzählt, angedeutet, übersprungen werden, was von den Vorgängen als verbindender Übergang zwischen zwei Phasen gedeutet und angedeutet oder ausgespart wird, das eben bildet den Sinn, das Ethos, das Eidos, die Idee des Werkes heraus. (S. 31)

Als Beispiel hatte Müller den Wilhelm Meister, also einen Bildungsroman, angeführt:

> Man kann sich zur Veranschaulichung etwa das 1. Buch von "Wilhelm Meisters Lehrjahren" als abgeschlossene Novelle vorstellen. Diese Novelle würde...deutend besagen: ... solches Ende ist der jugendlichen Liebesschwärmerei bestimmt. Im Verlauf der weiteren Jahre, die der Roman erzählt, verlieren diese Züge ihren endgültigen Charakter, sie stellen sich im Gegenteil als dienende Bestände einer grossen Organisation dar und besagen in ihr vielmehr, dass das ursprüngliche Augenblickserlebnis keine endgültige Deutung enthielt. (S. 12)

Entsprechend erscheint es mir auch richtig, beim Amulett die Pariserreise zwar als wichtigste Phase der gesamten Erzählzeit, der "grossen Organisation" zu betrachten, woraus sich dann aber ganz natürlich auch die Feststellung ergibt, dass Paris mehr als belangloses "Intermezzo" war!

30. Georges Brunet, S. 179.

31. Schmid, S. 73. Man darf hierbei freilich nicht ausser Acht lassen, dass Meyer selber sich ganz ähnlich äusserte: "Das Mittelmässige macht mich deshalb so traurig, weil es in mir selbst einen verwandten Stoff findet - darum suche ich so sehnsüchtig das Grosse". (Am 21.4.1880 an Rodenberg; in C. F. Meyer und Julius Rodenberg, Ein Briefwechsel, Hrsg. August Langmesser, 2. Aufl. (Berlin: Paetel, 1918), S. 66.) - Doch Meyers zwar ausdrücklicher Wunsch nach Grösse bezieht sich auf seine Kunst, nicht auf seine Rolle als Mitglied der Gesellschaft; und von letzterer ist auch die Rede im Falle Schadaus. Die Grossen im politischen Leben, die zur Gewalt greifen und ruchlos sind, zeichnete Meyer mit höchst skeptischer Bewunderung: Man denke nur an seinen Jürg Jenatsch, an Lukrezia Borgia oder an seine Kritik der ruchlosen Renaissance in Die Versuchung des Pescara.

32. Betrachtungen eines Unpolitischen, Gesammelte Werke, XII, 501.

33. Koopmann, S. 340.

34. An Haessel am 25.5.1873; Briefe, II, 54.

2. Italien und Spanien: Die Versuchung des Pescara

1. Georges Brunet, C. F. Meyer et la nouvelle, S. 329:

> Meyer l'a dit, les critiques l'ont répété tour à tour: la mort est le thème central de Pescara. L'auteur tient cependant à souligner des le début de l'oeuvre que l'on ne saurait envisager la mort sans son correlatif, la vie.

2. Benno von Wiese, Die deutsche Novelle, I (Düsseldorf: August Bagel, 1957), S. 226.

3. Eine zweite deutliche Parallele findet sich im Text: ganz ähnlich wie Mephistopheles am Ende des Prologs bemerkt Guicciardini über seinen Herrn, den Papst: "Eigentlich... mag ich den Alten leiden." (XIII, 179) Guicciardini, der zwar in der Novelle Pescara nie selber versucht, gehört mit zu den Strategen der Versuchung Pescaras.

4. The Stories of C. F. Meyer (Oxford: Clarendon Press, 1962), S. 165.

5. von Wiese, S. 262. Ähnlich auch Gustav Beckers, "Morone und Pescara. Poetisches Verwandlungsspiel und existenzielle Metamorphose: Ein Beitrag zur Interpretation von C. F. Meyers Novelle Die Versuchung des Pescara," Euphorion 63 (1969), 139; und Heinz Hillmann, "Conrad Ferdinand Meyer," in Deutsche Dichter des 19. Jahrhunderts, Hrsg. Benno von Wiese (Berlin: Erich Schmidt, 1969), S. 474, sowie Martini, S. 839.

6. "Ironie im Werke C. F. Meyers," GRM XXXVI (1955), 215.

7. An Haessel, 12.2.1887; Briefe, II, 126.

8. An Frey, 25.12.1887; Briefe, I, 373.

9. An Haessel, 5.12.1887; Briefe, II, 147.

10. 30.11.1887; XIII, 377.

11. XIII, 372; ferner W. D. Williams, The Stories of C. F. Meyer, S. 146f.

12. An Hans Blum, 19.12.1887; XIII, 379. Die Auseinandersetzung mit dem Problem der Willensfreiheit reicht übrigens bis in Meyers Jugend zurück; in einem frühen Brief an Betsy meint Meyer, er sei für die Notwendigkeit, "die weit weniger Lärm macht, da sie ein ganz stilles System ist, als der geräuschvolle freie Wille" (aus Neuchâtel, o. D., zitiert bei d'Harcourt, S. 115); und vor allem der Brief an Betsy aus Lausanne (1853), zitiert bei Maync, S. 77.

13. Diese Aussage ist meiner Meinung nach jedoch zweideutig. Darauf wird später noch zurückzukommen sein (cf. S. 43).

14. An Haessel, 5.11.1887; Briefe, II, 144.

15. Werner Oberles Bemerkung, dass Pescara mit der Liga wie die Katze mit der Maus spielt, scheint mir verfehlt (cf. S. 33 und Anmerkung 6). Auch Helene Lerbers Bemerkung, "seine ganze Umwelt...wird von dem allein Wissenden an der Nase herumgeführt" (Conrad Ferdinand Meyer: Der Mensch in der Spannung (München: Federmann, 1949 , S. 141), ist nicht ganz angebracht. Don Juan verkündet zwar, dass Pescara mit Italien wie die Katze mit der Maus spielen wird; bezeichnenderweise fehlt gerade diese "feine Grausamkeit" (cf. Der Heilige) dem Pescara.

16. Michael Shaw hat gezeigt, welch tiefe Verachtung Pescara hier gegenüber Don Juan bekundet; denn vor der "irdischen Gerechtigkeit" - im spanischen Stil! - graut ihm doch ("C. F. Meyer's Resolute Heroes: A Study of Becket, Astorre and Pescara", Dt. Vierteljahrsschrift 40 (1966), 383).

17. An Haessel, 5.11.1887; Briefe, II, 144.

18. Shaw ist deswegen leicht ikonoklastisch, weil er sich hier deutlich vom literaturkritischen Konsensus, dass Pescara sich veredle, distanziert hat. Für Veredlung: Beckers, S. 139; Wiese, S. 265; Williams, S. 159.

19. Shaw, S. 382.

20. Die Frage ist, welche Zeitspanne Pescara im Sinn hat, wenn er von "lange" spricht. Vom Text her lässt sich meiner Meinung nach nicht überzeugend widerlegen, dass Pescara vor Pavia schon absolute Treue und Integrität besessen hat, und dass seine Sittlichkeit schon vor der Verwundung Bestandteil seines Wesens war.

21. Am 11.11.1887; Ein Briefwechsel, S. 217.

22. Ähnlich auch Williams, S. 162.

    He is in no sense a man of his time, an amoral condottiere, as the others all believe, but a man of honour, bound by his conscience,...

23. Jost Hermand zieht diese Bemerkung Guicciardinis über Pescara ("Er glaubt nur an die Macht und an die einzige Pflicht der grossen Menschen, ihren vollen Wuchs zu erreichen mit den Mitteln und an den Aufgaben der Zeit." - S. 181) herbei, um zu zeigen, dass Meyer ganz wie seine Zeitgenossen, sich eine "abstrakte Machtideologie" geschaffen hat, "die trotz aller historischen Verbrämung in einem Niemandsland des genialen Einzelnen spielt"; wenn Meyer Helden schildere, wolle er sich erhoben fühlen. (Richard Hamann und Jost Hermand, Gründerzeit, Epochen deutscher Kultur von 1870 bis zur Gegenwart, Band 1 (München: Nymphenburg, 1971), S. 50).
    Was Hermand übersieht oder nicht berücksichtigen will, ist die Tatsache, dass Guicciardini, der an Pescara herumdeutet, diese Worte spricht; sie werden vom Ende der Novelle her gesehen in ein völlig ironisches Licht gerückt, denn was der Staatsmann Guicciardini als die "Mittel" und "Aufgaben der Zeit" betrachtet - ruchlose Machtpolitik und Befreiung Italiens - entspricht (wie ich später noch auslegen werde) keineswegs den Mitteln und Aufgaben, wie Pescara, geschweige denn sein Autor, C. F. Meyer, sie verstehen!

24. Brunet, C.F. Meyer et la nouvelle, S. 328:

    Espagnol, il juge et condamne l'Italie. Italien, il juge et condamne l'Espagne. Mais alors il n'a plus de patrie. Il est incapable d'opter. Il ne voit pas d'issue.

25. Während der Kaiser Italien nie betreten hat, setzte Pescara seinen Fuss nie nach Spanien.

26. Michael Shaw bemerkte:

    Since the division in the world so completely parallels the split in himself, there is an arbitrary element in his choice. But however arbitrary it may be, the important fact is that it is considered binding. Whatever the reasons for the original decision to serve Spain may have been, the fact that Pescara reaffirms this decision is therefore the crucial fact (S. 385f.).

    Auf Grund des Textes, vor allem auf Grund der unten zitierten Stellen (S. 43) erscheint mir Shaws Bemerkung, dass Pescara sich für Spanien entscheide, nicht gerechtfertigt. Pescara und Moncada machen eine deutliche Trennung zwischen dem König von Spanien und dem Kaiser; letzterem und nur letzterem dient der Feldherr.

27. An Haessel, 12.1.1877; Briefe, II, 66.

28. Diese Aussage Guicciardinis bezieht sich zunächst auf Luther. Im weiteren Rahmen, so wurde eben erläutert, gilt sie aber auch Pescara. Meyer hat hier also den indirekten, den ironischen Weg gewählt, um etwas ganz Wesentliches über seinen

Helden auszusagen. Möglich, dass er sich scheut, diese Parallele zwischen Luther und Pescara eindeutig und festlegend herzustellen; meiner Meinung nach will er das Bezug-Schaffen dem Leser überlassen.

29. Martini, S. 839: "Die tragische Ironie liegt darin, dass das Ethische...des Todes bedarf."

30. Thomas Mann, Betrachtungen eines Unpolitischen, Gesammelte Werke, XII, 576.

31. Mann, S. 578.

32. Gunter H. Hertling, Conrad Ferdinand Meyers Epik: Traumbeseelung, Traumbesinnung und Traumbesitz (Bern und München: Francke, 1973), S. 160.

33. Mann, S. 576.

34. Mann, Betrachtungen eines Unpolitischen, S. 542.

35. Mann, S. 427.

II. POLYVALENZEN DES STILS

1. Baumgart, S. 27.

1. Die Struktur der stofflichen Ebenen: Der Schuss von der Kanzel

1. An Friedrich von Wyss, 24.12.1877, Briefe, I, 79.

2. An Julius Rodenberg, 14.12.1877, XI, 251.

3. Jürg Jenatsch, X, 256. Gisela Vitt-Maucher -- "Ein Jenatsch in komischer Maske: Beziehungen zwischen C. F. Meyers 'Der Schuss von der Kanzel' und 'Jürg Jenatsch'," Colloquia Germanica 11 (1978), 111-123 -- zeigt, dass Der Schuss von der Kanzel gewissermassen eine Fortsetzung des Jürg Jenatsch ist.

4. Die von Meyer benutzten Quellen bezeugen übrigens, dass der historische Wertmüller tatsächlich zum Katholizismus übergetreten ist (XI, 252f.). Meyer geht im Schuss von der Kanzel in keiner Weise auf diesen Glaubenswechsel ein, obschon er ja, so unmittelbar vor dem Tode des Generals, längst stattgefunden haben müsste. In der Novelle haben wir es nicht primär mit dem historischen, sondern mit dem Meyerschen Wertmüller zu tun, der als ein gänzlich ungebundener, ausser den Konfessionen stehender Freigeist dargestellt wird.

5. Nicht erst im Schuss von der Kanzel, sondern auch schon in Jürg Jenatsch und später wieder in Die Versuchung des Pescara äussert Meyer zwar versteckt und vorsichtig Kritik an der Nüchternheit und Sprödigkeit des reformierten Glaubens. Pfannenstiel zum Beispiel muss "sich den helvetisch reformierten Glaubensbegriff mit etwas bescheidener Mystik versüss(en)" (XI, 81); in Jürg Jenatsch rühmt Wertmüller das Innere der neuen Jesuitenkirche: "sie ist, meiner Treu, so lustvoll und heiter eingerichtet wie ein Theater." (X, 105)

6. Ähnlich drückt sich auch Nietzsche aus: "...Christentum, Alkohol - die beiden grossen Mittel der Korruption" (zitiert

von Hermand, Gründerzeit, S. 137).

7. Schon im Titel werden also ganz gegensätzliche Begriffe schroff gegeneinandergestellt. - Diese Titelformulierung ist insofern ironisch, als ihr künstlerisches Spiel zwischen zwei Gegensätzen - "Schuss" und "Kanzel" - schon auf den in der Novelle angestrebten ironischen Ausgleich zwischen "Trieb" und "Vernunft" hinweist.

8. "Der fehlende Shakespeare: Betrachtungen zu C. F. Meyers Der Schuss von der Kanzel," Seminar 9 (1973), 44. - Im selben Artikel meint Mews auch, dass Meyer in dieser Novelle durch die "Einbeziehung der Welt der Literatur...sein verstecktes Missbehagen an der von ihm als ungenügend empfundenen Schweizer und Züricher Wirklichkeit in Geschichte und Gegenwart zum Ausdruck" bringen wollte (S. 49). So sehr dies im allgemeinen auf Meyer zutreffen mag, so sehr ihm ja tatsächlich an einer "Emancipation vom Schweizertum" (zitiert in Fritz Koegel, "Bei Conrad Ferdinand Meyer: Ein Gespräch," Die Rheinlande I, 1 (Oktober 1900), 32) gelegen war, so sehr erscheint es mir abwegig, die literarischen Anspielungen und Motive in der Novelle lediglich als Zeichen der Heimatentfremdung auslegen zu wollen.

9. Conrad Ferdinand Meyer und die antike Mythologie (Zürich: Atlantis), S. 42.

10. Burkhard, S. 148.

11. "Dionysus," The Oxford Classical Dictionary, 2. Aufl., 1970.

12. Karl Kerenyi, Die Mythologie der Griechen (Zürich: Rhein, 1951), S. 264.

13. Kerenyi, S. 264.

14. Kerenyi, S. 244.

15. "Dionysus," The Oxford Companion to Classical Literature, 1937.

16. Der Vorwurf ist direkt auf Pfarrer Wilpert Wertmüller gemünzt. Doch General Wertmüller - und das weiss der Ankläger noch nicht - ist ja verantwortlich für den Schuss von der Kanzel und somit der eigentliche Gründer dieser "neuen Religion".

17. Ähnlich scheint auch Paul Heyse gedacht zu haben, wenn er in Der letzte Zentaur (1870) von "der verchristlichten und verhässlichten Welt" schreibt (zitiert von Hermand, Gründerzeit, S. 70).

18. Marianne Burkhard, "Bacchus Biformis," Neophilologus 55 (1971), 425.

19. Die Knöpfe sind ein Parallelmotiv zu den Pistolen, die Wertmüller seinem Vetter just vor der Predigt in die Hände spielt, und durch die - allerdings weniger diskret als durch die Knöpfe - etwas Spirituelles (die Predigt) mit etwas Triebhaftem (die Jagdlust) verkoppelt wird.

20. Mews, 41; Burkhard, "Bacchus Biformis," 426.

21. Wörterbuch der Antike, S. 450.

22. Brunet, Conrad Ferdinand Meyer et la nouvelle, S. 196.

23. "The Ambiguous Explosion: C. F. Meyer's Der Schuss von der Kanzel," The German Quarterly XLIII (1970), 216.

24. Gleich eingangs beschreibt Meyer Pfannenstiel als einen linkischen, schlacksigen jungen Menschen (XI, 78f.).

25. Bezeichnenderweise lehnt Rahel eine Verbindung mit dem perfekten Kavalier Leo Kilchsperger ab (XI, 100). Im Gegensatz zum Kandidaten trägt der junge Hauptmann einen Namen der ihn symbolisch wenigstens allzu eindeutig dem kirchlichen Mythikon verbindet: Kilche ist Dialekt für "Kirche".

26. Bei den Willes, mit denen Meyer in den siebziger Jahren sehr rege verkehrte, waren Neuerscheinungen auf dem Gebiet der Geisteswissenschaften stete Gesprächsthemen. Über Meyers Verhältnis zu Nietzsche: W. P. Bridgwater, "C. F. Meyer und Nietzsche," The Modern Language Review LX (1965), 568-583; Marianne Burkhard, "Bacchus Biformis," 430.
Es ist meiner Meinung nach durchaus denkbar, dass Der Schuss von der Kanzel eine versteckte und ironische Antwort Meyers auf Nietzsches Abhandlung ist.

27. Werke in drei Bänden, Hrsg. Karl Schlechta (München: Hanser, 1966), I, 70.

28. Nicht zu übersehen ist die Fragwürdigkeit dieses Eheglücks; denn aus der Charakteristik der Gestalten lässt sich die spätere Beherrschung des schwachen Pfannenstiels durch die "resolute" Gattin vorausahnen.

29. Nietzsche, 25.

2. Rahmen und Figuren-Konstellation: Der Heilige

1. Man hat zum Beispiel behauptet, dass in der von Meyer bewusst angestrebten Mehrdeutigkeit des Heiligen die Ironie des Dichters zum Ausdruck komme; er selber glaube besser informiert zu sein als der Leser, und es mache Meyer Spass, den Leser an die auktoriale Überlegenheit zu erinnern (Le saint, éd. Léon Mis (Paris: Aubier, 1949), S. 37). - Dem Text nicht gerecht werdend, will A. Zäch in Becket den ironischen Menschen erkennen, der das Leben als ein trauriges Spiel nehme, "das man mit möglichstem Anstand mitzuspielen verpflichtet ist, dem man aber den vollen Ernst nicht zubilligt und dessen Fragwürdigkeit man längst erkannt hat" ("Ironie in der Dichtung C. F. Meyers," 14). - Grundlegender sind die Bemerkungen von Fritz Martini und Werner Oberle. Martini sieht die Ironie des Heiligen darin, dass "das Christlich-Heilige in die Relativität der geschichtlichen Wirklichkeit, das Religiöse...in die Zwiespältigkeit des Psychologisch-Menschlichen gestellt wird" (Martini, S. 825). Werner Oberle begründet Beckets Ironie damit, dass "der Kluge weiss, dass der König selbst in seine Rache hineinlaufen wird"; weil Thomas um sein eigenes Schicksal wisse, könne er dem Handeln der Menschen beinahe unbeteiligt zusehen; er "kann sie ironisch betrachten, denn er sieht sie in ihrer Bedingtheit" (Oberle, 215).

2. "Beobachtungen zur Funktion der Vieldeutigkeit in Conrad Ferdinand Meyers Novelle Der Heilige," Acta Germanica III (1968), 211. Meine Hervorhebung.

3. Meyer zu Adolf Frey: "...es (das Ethische) soll in meinem neuen Buche (Pescara) mit Posaunen und Tubenstössen verkündet werden, nicht wie im Heiligen, wo ich bereue, die Sache ins Helldunkel gerückt zu haben." (Conrad Ferdinand Meyer: Sein Leben und seine Werke, 2. Aufl. (Stuttgart und Berlin: Cotta, 1909), S. 299)
Hinsichtlich des defensiven Tons, mit dem Meyer sich hier

über die Vieldeutigkeit des Heiligen äussert, ist es bemerkenswert, dass der Dichter ja auch im Pescara schliesslich "die Sache ins Helldunkel", ins Ironische gerückt hat, trotz aller Beteuerungen und ursprünglichen Absichten.

4. Sjaak Onderdelinden, Die Rahmenerzählungen Conrad Ferdinand Meyers, Diss. Leiden 1974, Germanistisch-Anglistische Reihe, der Universität Leiden, Band XIII (Leiden: Universitaire Press, 1974), S. 24.

5. Hans Jeziorkowski, "Die Kunst der Perspektive: Zur Epik Conrad Ferdinand Meyers," Germ-Roman. Monatsschrift N. F. XVII (1967), 403ff. Meine Hervorhebung.

6. Uwe Böker, "C. F. Meyers Der Heilige: Die Bedeutung der Erzählhaltung für die Interpretation der Novelle," Studia Neophilologica XXXIX (1967), 69.

7. Am 6.5.1879, Meyer und Rodenberg, S. 48.

8. An Betty Paoli, 19.4.1880, Briefe, II, 347; an H. Lingg, 2.5.1880, Briefe, II, 306.

9. Am 10.5.1879, Meyer und Rodenberg, S. 49.

10. Hof, 211. Meine Hervorhebung.

11. Möglicherweise kommt hier etwas Geschichtspessimismus zum Ausdruck, ähnlich wie im Pescara, wo Meyer implizit darauf hinweist, dass sich die Menschen im Grunde genommen nie ändern.
Becket ist eine Art Gegenfigur zu Jürg Jenatsch. Dieser bringt mit Gewalt, Verrat und Schrecken seinem Land den Frieden, im Gegensatz zum "Friedensstifter" Becket. Meyer setzt also dort Ironie ein, wo er persönlichste Fragen aufwirft, dort wo sein eigenes Empfinden zwiespältig wird.

12. In Koegel, 27ff. - Ähnlich hatte er sich auch zur Gestalt der Lukrezia Borgia geäussert, glaubte er doch, die Lukrezia den Geschichtsprofessoren aus den Händen genommen zu haben.

13. Ähnlich macht ja auch Dante Konzessionen an den Geschmack seines Gastgebers Cangrande in Die Hochzeit des Mönchs.

14. Nur der allwissende Dichter kann sich bewusst dieser ironischen Darstellungsweise bedienen, denn weder der Bischof noch der Kleriker haben Einsicht in die Komplexität der Wahrheit und merken nicht, dass Geist und Macht bisweilen zusammenfallen können, und dass der Primas auf seiner frommen Eselin mit seiner christlichen Demut tatsächlich ein Siegender sei.

15. An Rodenberg, 6.5.1879, Meyer und Rodenberg, S. 48.

16. An Lingg, 2.5.1880, Briefe, II, 305.

17. Hierin lässt sich eine Ähnlichkeit zum Schluss in Das Leiden eines Knaben erkennen: Wie Burkhard die Komplexität des Heiligen missversteht, so entgeht Ludwig XIV. das "Heldentum" des Knaben.

18. Es ist für Burkhards Einstellung bezeichnend, dass er Becket am Schluss das "Sankt" aberkennt und ihn lediglich "Herrn Thomas" nennt (XIII, 147).

19. An Betty Paoli, 17.1.1881, XIII, 297.

20. An Louise von François, 21.4.1881, XIII, 300.

21. An Kinkel, 16.3.1879; in: Emil Bebler, Conrad Ferdinand Meyer und Gottfried Kinkel (Zürich: Rascher, 1949), S. 54.

22. An Wille, 26.4.1880, XIII, 291.

3. Pluralismus der Sprache: Das Leiden eines Knaben

1. Fehr, S. 84.
2. A. Zäch verweist auf "das ironische Spiel mit dem Wort" in Meyers Werk allgemein und zitiert aus Das Leiden eines Knaben als Beispiel etwa die "ehrwürdige Missgestalt" Fagons sowie den Kalauer über Pater Amiel ("Ironie in der Dichtung C. F. Meyers," 9). Zu den "mit deutlicher Ironie geschilderten Gestalten" in Meyers Gesamtwerk gehöre Mirabelle, eine précieuse ridicule (13). Schliesslich erwähnt Zäch "die bittere Ironie des Schicksals", die Julian Bouflers betroffen hat (15). - In seiner Arbeit zur Ironie im Werk C. F. Meyers bemerkt Werner Oberle, dass in der Gestalt des Königs "ein Grosser entlarvt" werde ("Ironie im Werke C. F. Meyers," 218); und dass Fagon, der seine Kritik am König und an den Jesuiten nur versteckt vorbringen kann, sich in der Form der Ironie ausdrücken müsse (213). - Auch Louis Wiesmann berührt die Ironie Fagons. Das Leiden habe ihm "die Kraft gegeben, zu überwinden und als Aussenseiter über sich und den anderen zu stehen,... Zur gelösten und verzeihenden Heiterkeit des Humors reicht es zwar nicht, aber doch zu einer lachenden, mitunter beissenden Ironie" (Nachwort, zu Das Leiden eines Knaben, Reclams Universal-Bibliothek Nr. 6953 (Stuttgart: Reclam, 1973), S. 74).
3. Es ist erstaunlich, mit welcher Frequenz Ausdrücke, die mit Wahrheit zu tun haben, im Text auftauchen. Allein das Wort Wahrheit wird zwölf Mal erwähnt. Daneben auch "frank", "unwahr", "ehrlich", "naturwahr", "redlich", "Unwahrheit".
4. Mit Recht betont Friedrich A. Kittler -- Der Traum und die Rede (Bern und München: Francke, 1977), S. 173 -- die Wichtigkeit des Diskurses für die Novelle Das Leiden eines Knaben. Dennoch möchte ich von Kittler Abstand nehmen. Seiner Auffassung nach ist "die Rede der Novelle...von der Rede und vom Namen, sofern sie eine Gewalt sind und haben". Vielmehr verhält es sich so, dass die Rede der Novelle nicht "von der Rede und vom Namen" ist, sondern - wie es im Novellentext ausdrücklich heisst - "von der Glaubwürdigkeit der Dinge" (XII, 120). Nicht Sprache, menschlicher Diskurs an sich stehen im Zentrum, sondern Sprache als Darstellungsversuch und Darstellungsmedium der Wahrheit.
5. Wiesmann, Nachwort, S. 73.
6. Implizit drückte das ja auch schon Wiesmann aus.
7. C. F. Meyer treibt dabei sein ironisches Spiel auch mit der Mimeure, denn Paris ist eben auch die Hauptstadt, und der König - wie die Novelle zeigt - begnügt sich nicht einfach damit, der König zu sein. Er ist zum Beispiel auch "de(r) Allerchristlichste(n)" (XII, 153).
8. Christine Merian-Genast, Die Gestalt des Künstlers im Werk C. F. Meyers, Europäische Hochschulschriften No. 74 (Bern und Frankfurt a.M.: Herbert Lang, 1973), S. 33.
9. Julian überrascht Fagon mit einer Bemerkung, die Humor verrät (XII, 136); und selbst die hochgebildete und zugleich gütige Madame de Maintenon, die das Massvolle liebt (XII,

101), weiss mit ihrer sorgfältigst formulierten Kritik an den Jesuiten und an Saint-Simon zu krallen (XII, 103) und züngeln (XII, 107).

10. Ähnlich auch Kittler, S. 173:
    "Le bel idiot" oder "der schöne Stumpfsinnige", wie der Rahmenerzähler übersetzt (107), wird von dieser seiner Benennung aus dem Bereich der allgemeinen Vernunft exkommuniziert. Stumpfsinn ist eine der Gestalten, die das grosse Reich der Unvernunft bevölkern, und zwar jene, die... durch mangelnde Sprachkompetenz von der Norm abweicht.

11. Vgl. Kittler, S. 173: "...dass der Beiname 'Gift' heisst, deutet schon an, dass der Diskurs der Anderen...ihn vernichten kann."

12. Leicht befremdend wirkt schon der Ausdruck "Port" statt des geläufigeren "Hafen" oder dem Kontext noch besser angepassten "Ufer". Durch den Gebrauch des selteneren Wortes will Meyer uns auf die bittere Ironie dieser Szene stossen: gerade in der Lyrik des 17. Jahrhunderts, etwa bei Gryphius, bedeutet "Port" auch -- Tod!

13. Oberle, 218.

14. Muecke, Irony, S. 59.

15. Einige weitere ironische Strategien werden gesondert im folgenden Abschnitt über Fagon besprochen werden.

16. Diese "Lobworte" sind sicherlich von Meyer und Fagon ironisch eingesetzt. Ob Mouton, der die traditionelle Wertskala auf den Kopf gestellt hat, bewusst ironisch spricht, lässt sich meines Erachtens nicht in jedem Fall eindeutig ermitteln.

17. Lerber, S. 170.

18. So auch Werner Oberle, 213.

19. Kittler, S. 182.

20. Fehr bemerkt, dass die beiden Moutons "den Namen jenes Tieres tragen, das in den Augen der Menschen neben der tiefsinnigen christlichen Symbolik, dem Rührselig-Empfindsamen der Bukolik auch noch die Etikettierung der absoluten Dummheit auf sich nehmen muss". Damit verweist also Fehr auf das für die Novelle äusserst wichtige Phänomen der Polyvalenz der Sprache und auf den Assoziationsreichtum, der gewissen Namen anhaftet. Doch Fehrs Hinweis auf die "tiefsinnige christliche Symbolik" des Wortes mouton ist verfehlt. Wie im Deutschen zwischen "Schaf" und "Lamm" unterschieden wird, so differenziert auch die französische Sprache zwischen "mouton" und "agneau", wobei nur letzterer Ausdruck christlich-symbolischen Gehalt mit sich trägt (cf. Karl Fehr, "Mouton der Maler und Mouton der Pudel", Neue Zürcher Zeitung, No. 353, 2. Aug. 1970, S. 37, Sp. 4).

21. Ähnlich verhält es sich auch mit Fagons Beschreibung der schäkernden Mädchen im Bad, worin er klar macht, wie subjektiv verschieden die Bedeutung eines Wortes wie "unglücklich" sein kann. Dem Beobachter (Fagon) erscheint das Unglück einer kleinen Liebesgeschichte trivial im Vergleich zu der unglücklichen Lebensgeschichte Julians (XII, 153).

22. Hillmann, "Conrad Ferdinand Meyer", S. 472.

23. Mit dieser Beobachtung soll die Tatsache, dass auch Fagon von Meyer leise ironisiert wird, keineswegs ausgeschlossen werden. - Näher auf Meyers Ironisierung von Fagon einzugehen führte jedoch hier zu weit.

24. Hierzu Muecke, Irony, S. 56: "The ironist brings himself on stage, so to speak, in the character of an ignorant, credulous, earnest, or over-enthusiastic person". - Muecke nennt diese Form der Ironie self-disparaging irony.

25. Kittlers Auffassung, dass Fagon seine Entschuldigungen ernst meint, kann ich nicht beistimmen. Meines Erachtens zeigt der Text deutlich, dass Fagon hier ironisch spricht. (Kittler, S. 174).

26. Irony, S. 57f.

27. Vgl. hierzu auch Kittlers feine Beobachtung:

    Wenn Mouton für den Pudel und sich ein Grab und einen Epitaph - "II Moutons" (141) - vorschreibt, kündigt dies sein letztes Wort endgültig, nämlich über den Tod hinaus, einer elementaren Abgrenzung, die die Menschen einander als Menschen darin erkennen und anerkennen macht, dass sie keine Tiere sind. Mouton kehrt die Hierarchie der Tier und Mensch unterscheidenden Zeichen um: Dem Ideal, das Menschen im Mass ihres Abstands zu Tieren ästhetisch valorisiert, opponiert er ein theriomorphes... (S. 173f.).

28. Sehr schön hat Meyer diesen Kontrast im Bild ihrer Schuhe wiederholt. Der Monarch kreuzt lässig die Füsse und betrachtet "den Demantblitz einer seiner Schuhschnallen" (XII, 103); durch Julian erfahren wir, dass Mouton "die Zehen aus den Schuhen geguckt hätten" (XII, 127). Wir erfahren übrigens auch, dass Fagon "Filzstiefel" (XII, 124) trägt. Seine Schuhe repräsentieren eine Art Kompromiss zwischen dem luxuriösen Schuh des Königs und den zerlöcherten Latschen Moutons. Die Filzstiefel entsprechen seiner Zwischenstellung in der Novelle überhaupt. Übrigens erlauben ihm die Filzstiefel leise aufzutreten, und man ist versucht, hierin eine Parallele zu den "leisen Sohlen" eines anderen Erzählers und Ironikers zu sehen, nämlich zu Poggio in Plautus im Nonnenkloster.

29. Freilich, Fagon sieht in der Novelle - im Gegensatz zu Molière - davon ab, das Menschlichste zu verhöhnen. Das lässt sich damit erklären, dass die Ereignisse, von denen Fagon berichtet, tragisch sind; die Verhöhnung des Menschlichsten, so ist seinen Bemerkungen zu entnehmen, gehört ins Bereich der Komödie.

30. Le Malade imaginaire; Le Médecin malgré lui; Les Précieuses ridicules; Le Misantrope.

31. Für den Hinweis auf eine Beziehung zwischen Molières Vorwort und Meyers Novelle bin ich meinem Lehrer, Herrn Prof. Dr. Wolfgang Wittkowski dankbar.

32. Molière, Oeuvres complètes (Paris: Garnier, 1962), I, 630. In der deutschen Übersetzung:

    Und da man schliesslich um Sachen und nicht um Worte streiten soll und die meisten widersprüchlichen Ansichten daher rühren, dass man sich nicht versteht und ganz entgegengesetzte Dinge mit einem und demselben Ausdruck umkleidet, so braucht man nur den Schleier der Zweideutigkeit wegzuziehen und das Schauspiel an sich daraufhin zu betrachten, ob es wirklich verdammenswürdig ist. (Komödien, Übers. Gustav Fabricius und Walter Widmer (München: Winkler, 1970), S. 520).

33. Molière, 704. In der deutschen Übersetzung:

    Denn uns beherrscht ein Fürst, der die Betrüger hasst,
    Ein Fürst, der scharfen Blicks der Menschen Herz erforscht
    Und sich durch keines Heuchlers Künste täuschen lässt.

Ein klares Urteil leitet seinen hohen Geist,
Der jedes Ding in seinem wahren Lichte sieht.
Ihn überrumpelt keiner, der sich an ihn macht,
Sein fester Sinn verschliesst sich jedem Übermass.
Rechtschaffne Menschen hält er höchsten Ruhmes wert,
Doch wird er nicht durch äussres Wichtigtun beirrt;
Und so wie allen Guten seine Liebe gilt,
Füllt Abscheu vor der Heuchler Bosheit seine Brust.
(Komödien, S. 580f.)

34. Julians Todesillusion wirft eine schwierige Frage auf. Glaubt Meyer, dass Wahrheit lediglich subjektiv ist, und dass selbst eine Illusion wahr ist, solange sie vom Subjekt so erlebt oder empfunden wird? - Saint-Simons Zerrbilder sind "wahr", weil er die Gesellschaft verzerrt sieht (XII, 107: "Mag er verzeichnen, was ihm als die Wahrheit erscheint".); Ludwig glaubt den Beschuldigungen Fagons im Zusammenhang mit ihrem Gespräch über die Bekehrungen nicht, weil er eine andere "Wahrheit", seine Wahrheit vorzieht. - Im Rahmen dieser Novelle wenigstens gibt Meyer hierzu keine klare Antwort.

35. Julians imitatio Christi ist keine bewusst gewählte, sondern eine dem Knaben von der Welt auferlegte. - Pater Amiel greift zum Christus-Vergleich, um die Unschuld des Knaben vor dem tobenden Rektor zu beteuern: "Julian ist schuldlos wie der Heiland!" (XII, 149). Amiel ist nicht der einzige, der Julian mit Jesus vergleicht. Bei der Beschreibung der Art und Weise, wie Julian ficht, wird der Leser ans christliche Ethos erinnert (XII, 128). Nicht umsonst hat schon der Titel der Novelle einen religiösen Anklang. "Leiden", das ist "Passion"; wir werden Zeugen einer Passionsgeschichte, die mit dem "Golgatha bei den Jesuiten" (XII, 156) endet. - Die Beschreibung des geschlagenen Jungen, "das Haupt vorfallend", "die Gestalt geknickt", "den Blick erloschen" (XII, 141) beschwört das Bild des Gekreuzigten. - Es ist auch kein Zufall, dass Fagon die beiden, dem "Golgatha" unmittelbar vorangehenden Episoden - Tod der "II Moutons" und Rückkehr des Marschalls nach Versailles - mit den vertrauten Wendungen aus dem Evangelium einleitet: "Wenig später begab es sich" und "Es begab sich ferner" (XII, 141).

III. IRONISCHES ERZÄHLEN

1. Die Ironisierung des Erzählers: Plautus im Nonnenkloster

1. 21.11.1881, Briefe, I, 88. Ähnlich auch an Bovet, 31.12.1881, Briefe, I, 135.

2. Sehr treffend bemerkt Carlo Moos, dass die Haltung Meyers "gegenüber der Renaissance nur den einen Pol seiner Welt markiert, das eine Extrem, das vom reformatorischen Pol ausbalanciert wird, so dass sich letztlich etwas wie ein labiles Gleichgewicht einstellt" (Dasein als Erinnerung: Conrad Ferdinand Meyer und die Geschichte (Bern: Herbert Lang, 1972), S. 59).

3. Nichts könnte das Untraumatische dieses Berufswechsels besser und deutlicher zum Ausdruck bringen, als die Form der Para-

taxe, d.h. die zwei koordinierenden Konjunktionen, mit denen Poggios gegensätzliche Karrieren verbunden werden sowie der die ganze Konstruktion ordnende Chiasmus (Weltliches und Geistliches, Geistliches und Weltliches).

4. Martini, S. 830; meine Hervorhebung.

5. Es ist von Meyer durchaus ironisch gemeint, wenn sein Poggio einerseits mehrmals auf die Hebung der Verhältnisse in den Nonnenklöstern anspielt und dieses Anliegen der Konzilväter auch schamlos ausnutzt, um in den Besitz des Plautus-Manuskripts zu gelangen; dass er andererseits jedoch die Bekämpfung der Verweltlichung des hohen Klerus zu Tode schweigt.

6. Man beachte hier die thematischen Parallelen mit E.T.A. Hoffmann und Thomas Mann.

7. Die Thematik erinnert stark an Thomas Mann, der ja auch eine enge Beziehung zwischen Künstlertum und Kriminalität sah. Auch Meyers "Künstler" stammt von "unten auf der Landkarte".

8. Oberle bemerkt hierzu: "Ein solcher Witz des Schicksals wird auch gespielt, als der schnüffelnde Poggio von der abscheulichen Äbtissin als schlimmstes Buch gerade seine eigenen Facetien ausgeliefert bekommt - eine Bosheit des Zufalls nennt es der Betroffene." ("Ironie im Werke C. F. Meyers," 216).

9. Meyer nennt Poggio selber einmal den "Codices-Dieb" in einem Brief an Rodenberg (10. Juli, 1881, XI, 265).

10. Jost Hermand hat gezeigt, dass in der Literatur und Kunst der Gründerjahre Begriffe und Ideen oft und gerne personifiziert wurden. Gerade die Ironie, mit welcher C. F. Meyer in dieser Novelle Poggios Allegorese der Wahrheit schildert, zeigt, dass er dieser künstlerischen Manier nicht so kritiklos gegenüberstand, wie Hermand es dargestellt hat (<u>Gründerzeit</u>, S. 53).

11. Auch Martini verweist auf diese Parallele (S. 830).

12. Vergleiche Zäch, <u>Conrad Ferdinand Meyer</u>, S. 165, 167.

13. Natürlich wird auch die Äbtissin verspottet, aber so offenkundig, dass es einer weiteren Analyse kaum bedarf. Näheres jedoch bei Zäch, "Ironie in der Dichtung Conrad Ferdinand Meyers", 12.

14. Sjaak Onderdelinden schreibt von Poggios "verwöhnte(m) Publikum, das gefesselt werden will (beim geringsten Ansatz zum Moralisieren bekommt der zum Erzählen Aufgeforderte sofort zu hören: 'Poggio, du predigst!'...) ..." (S. 101).

15. cf. F. F. Baumgarten, S. 66: "Die historische Renaissance wird dekadent in Meyers Bilde..." Ferner S. 72.

16. Martini meint, dass "das Fragwürdige der ästhetisch-humanistischen Lebensgesinnung...als allgemeiner Zeitzustand unangerührt" bleibe (S. 831). Auf Grund des Textes lässt sich jedoch leicht zeigen, dass Martinis Behauptung nicht zutrifft.

17. Onderdelinden, S. 101-109.

2. Die Ironisierung des Erzählens: <u>Die Hochzeit des Mönchs</u>

1. W. D. Williams, S. 93, 97; Benno von Wiese, <u>Die deutsche No-</u>

velle, II (Düsseldorf: August Bagel, 1962), 180.

2. von Wiese, 180: ähnlich auch Walter L. Hahn, "C. F. Meyer als Gestalter des künstlerischen Schaffungsprozesses," Pacific Coast Philology 2 (1967), 53:

   Sicherlich soll Dantes Erzählen als beispielhaft betrachtet werden, und es steht fest, dass Meyer in Dante und dessen Erzählung vom entkutteten Mönch den Künstler und den Schöpfungsakt darzustellen unternommen hat.

3. Meyer an Paul Heyse, 12.11.1884, XII, 252.

4. Werner Stauffacher, "Erzählen des Erzählens: Zu C. F. Meyers Hochzeit des Mönchs", AATG Proceedings of the 42nd Annual Meeting, Bonn, Germany: June 27-July 2, 1974 (Philadelphia: AATG, 1975), S. 51.

5. Am 19.11.1883, Meyer und François, S. 118.

6. An Otto Benndorf, 6.12.1884, XII, 252.

7. Zum Beispiel an Heyse, 12.11.1884, XII, 251: "Mein Dante am Herde ist...eine typische Figur und bedeutet einfach: Mittelalter." Oder an Benndorf, 6.12.1884, XII, 252.

8. Shaw, 378.

9. Denkbar ist, dass hier auch Dantes Ironie gegenüber seinen Zuhörern mitschwingt; denn sie haben auch "bezahlt" (indem Dante sie in seine tragische Geschichte hineinverwebt), und Dante mag manchem "das Glück des Schlummers" gestört haben.

10. Oberle, 220.

11. Ernst Feise, "'Die Hochzeit des Mönchs' von Conrad Ferdinand Meyer: Eine Formanalyse," In Xenion: Essays in the History of German Literature (Baltimore: Johns Hopkins, 1950), S. 215; Fehr, S. 87.

12. Williams, S. 105.

13. Siehe den "Schicksalsbrief" an Betsy, zitiert bei H. Maync, S. 77.

14. Williams, S. 99.

15. Paradiso, III, 103-117:

   Um ihr zu folgen, floh ich in der Jugend
      Die Welt und hüllte mich in ihren Mantel
      Und weihte mich dem Leben ihres Ordens.
   Da haben Männer, mehr des Bösen kundig,
      Mich weggeschleppt aus jenem süssen Kloster;
      Gott weiss, wie dann mein Leben sich gestaltet.
   Und jenes andre Licht, das drüben leuchtet
      Zu meiner Rechten, und das sich entzündet
      Mit allem Glanze unseres Himmelskreises,
   Das kann von sich wie ich das Gleiche sagen,
      Auch sie einst Schwester, der von ihrem Haupte
      Des heiligen Schleiers Schatten weggenommen.
   Doch während sie dann, ohne es zu wollen,
      Der Welt gehörte, gegen gute Sitte,
      Trug sie den Schleier immer noch im Herzen.

   Dal mondo, per siguirla, giovinetta
      Fuggi'mi, e nel suo abito mi chiusi,
      E promisi la via della sua setta.
   Uomini poi, a mal più ch'a ben usi,
      Fuor mi rapiron della dolce chiostra:
      Iddio si sa qual poi mia vita fusi.
   E quest'altro splendor che ti si mostra

Dalla mia destra parte, e che s'accende
Di tutto il lume della spera nostra,
Ciò ch'io dico di me, di sè intende:
Sorella fu, e così le fu tolta
Di capo l'ombra delle sacre bende.
Ma poi che pur al mondo fu rivolta
Contra suo grado e contra buona usanza,
Non fu dal vel del cuor giammai disciolta.

Dante, Die göttliche Komödie, Übers. Hermann Gmelin, Dritter Teil: Das Paradies (Stuttgart: Ernst Klett, 1957), S. 38-39.

16. Meyer lässt seinen Erzähler hier die eigene Überzeugung ausdrücken: man erinnere sich nur an das grosse Gewicht, das Meyer der Wahrheit der menschlichen Natur in anderen Novellen (Der Schuss von der Kanzel, Plautus im Nonnenkloster, Die Richterin) beigemessen hat. Es ist jedoch undenkbar, dass der historische Dante, der an den freien Willen des Menschen glaubte, das Gute zu tun und das Böse zu lassen, eine derart liberale Glaubensdefinition vertreten hätte.

17. In der Literaturkritik ist herumgerätselt worden, weshalb Dante der Prophezeiung Cangrandes beistimmt, was umso verwunderlicher sei, da Astorre doch mit ausgesprochen Meyerschen Zügen und Problemen ausgestattet wurde (Konflikt zwischen zwei Frauen, mönchische Zurückgezogenheit). D. A. Jackson -- "Dante the Dupe in C. F. Meyer's Die Hochzeit des Mönchs," German Life and Letters XXV (1971-72), 14 -- hat die Gestalt von Astorre von tiefenpsychologischen Kriterien her untersucht und ist zum Schluss gekommen, dass Dante, als ein Kind seiner Zeit, die wahren und schockierenden Motive Astorres verkannt habe:

> Meyer abhorred scandal and loved truth. A viable compromise was to use the historical Novelle as a mask and reduce still further the danger of being unmasked by creating a fictional character, Dante, who would misinterpret Astorre's fate throughout in a way flattering to the preconceptions and prejudices of his orthodox, conservative readers. It was vital that the duper should himself be duped.

Jacksons Interpretation der Astorregestalt ist im Rahmen meiner Untersuchung insofern interessant, als Jackson die Ansicht vertritt, Meyer habe aus Selbstschutz Dante in seiner mittelalterlichen Beschränktheit dargestellt. Im ganzen betrachtet scheinen mir Jacksons Argumente allzu weit hergeholt, manches lässt sich auch nicht überzeugend belegen. - Dante ist kein sturer Vertreter des Mittelalters, was auch immer Meyer in seiner Korrespondenz behauptet und was ihm die Kritik teilweise auch abgekauft hat; Brunet zum Beispiel (C. F. Meyer et la nouvelle, S. 55) argumentiert so: "Danté représente ici essentiellement le moyen âge, donc le passé. Ainsi les autres sont la génération montante, celle précisément qui cherche à s'affranchir en refusant les valeurs admises jusque-là." Mir scheint vielmehr das Gegenteil der Fall zu sein: Meyers Dante - im Gegensatz zum historischen Vorbild - ist ein liberaler Denker, wie aus seinem Urteil über Friedrich II. hervorgeht; er ist der eigenen Zeit weit voraus. Ferner tritt er auch, wie Oberle bemerkt (219), als recht seltsamer Interpret des Apostels Paulus auf - also auch hier keineswegs mittelalterliche Theologie vertretend.
Anders und überzeugender als Jackson hat Michael Shaw argumentiert, der in Dante das Gegenteil des übertölpelten Dichters sieht. Shaw (378) stellt mit Recht die Frage, weshalb

Dante vorgebe, die Geschichte eines Menschen zu erzählen, der sündig sei, weil er gegen die eigene Natur verstosse, wenn er dann im Folgenden das Gegenteil zeige, nämlich dass Astorre aus seiner Natur heraus handle. Und Shaws Antwort:

> He is an exile, at the court of a ruler...of whom he does not entirely approve...he tells a story whose hero rebels, and whose rebellion he vindicates. In so doing, he simultaneously expresses his resentment against an order of things that denies him his rightful place (for is he not a prince among poets and, as such, immeasurably superior to the princes of this world?) and against a man who must symbolize such an order for him... By offering an apparently unassailable interpretation, by prejudging the issue, as it were, Dante clears the way for the story he really wants to tell. This is, to be sure, a compromise inspired by prudence (379f.).

18. Feise, S. 215.

19. von Wiese, 184; und etwas ausführlicher:

> ...hier ist noch etwas von der künstlerischen Ironie des ...Erzählers Meyer zu spüren. Sie gilt...dem Erzählen selbst. Weiss er doch, dass auch Dante und seine Zuhörer hier selber Dichtung sind, d.h. Erfindungen seiner Meyerschen Phantasie, die zwar von der geschichtlichen Überlieferung den "Stoff" entlehnt hat, aber mit dem Entlehnten dann genauso freischaffend umgeht wie Dante mit den Personen seiner Umwelt (183; meine Hervorhebung).

20. Walter Hahn, S. 59: "Er als der allwissende Schöpfer weiss den Inhalt dieses Selbstgesprächs - er hatte diesen in seinem Geiste bereits gestaltet - aber nach kurzer, doch bedachtsamer Überlegung, hervorgerufen durch die voreilige, unüberlegte Einmischung und Reaktion des Hörerkreises, hat er sich anders entschieden..."

21. An ihre Kinder, 10.5.1885, XII, 313.

22. Fr. Th. Vischer, "Über das Komische," Bibliothek der deutschen Klassiker, Bd. 25 (Hildburghausen: Bibliogr. Institut, 1864), 307.

23. Vischer, S. 312.

24. An Wille, 16.11.1883, XII, 248.

25. Williams, S. 94.

26. Walter L. Hahn, S. 54: "Damit ist, von ausserhalb des Künstlers kommend, der allgemeine Bereich und Raum der Erzählung festgelegt, wobei aber der künstlerischen Schaffensfreiheit doch noch genügend Spielraum belassen wird, was durch die Erwähnung verschiedener Lösungsmöglichkeiten angedeutet wird."

27. Gustav Schwab, Die schönsten Sagen des klassischen Altertums, 4. Aufl. (Wien und Heidelberg: Carl Ueberreuter, 1951), S. 90:

> König Lykos nämlich war zwar ein milder und gütiger Mann, aber er hatte ein böses Weib mit Namen Dirke. Diese war von Eifersucht verblendet und glaubte, ihr Gemahl liebe die Tochter seines Bruders. In ihrer blinden Wut übte sie an der Unglücklichen die grausamste Rache. Oft sengte sie ihr mit glühendem Eisen das goldene Lockenhaar weg, schlug ihr mit der Faust ins zarte Antlitz und quälte sie auf die boshafteste Weise.

28. So auch Hahn, der hier von der "unübertreffliche(n) Ironie, die das innere Überlegenheitsgefühl des Dichters offenbart"

schreibt (S. 56).

29. Williams, S. 103.

30. Stauffacher, S. 49f.

31. Feise, S. 225.

32. Heinrich Henel, The Poetry of Conrad Ferdinand Meyer (Madison: University of Wisconsin Press, 1954), S. 147.

33. Edward M. V. Plater, "The Figure of Dante in Die Hochzeit des Mönchs," Modern Language Notes 90 (1975), 683.

34. Louise von François, 9.1.1884, Meyer und François, S. 128.

35. Über weitere Parallelen auch Heinrich Henel, S. 45f.

36. Heinrich Henel, S. 123:

> Thus the monks and nuns of Meyer's novels and poems, those who are content in their state and those who break away, those to whom the broken vow brings happiness and those to whom it brings death, must be seen togehter. For together they bear a psychological resemblance to the poet, and especially to his early state, his secluded life which both longed for and shrank from the world.

37. An F. v. Wyss, 13.12.1883, XII, 249.

38. An Heyse, 12.11.1884, XII, 251.

39. Karl Fehr, S. 87; meine Hervorhebung.

40. Benno von Wiese, 180.

41. 12.12.1883, XII, 250.

42. 16.11.1883, XII, 249.

43. Stauffacher, S. 44.

44. XII, 307: Anmerkungen zu XII, 9, Zeilen 10 und 15.

45. Meyer hat den Rat Willes, "die unfreiwillige Reminiszenz aus Rochefoucauld in Dantes Munde" zu streichen, ignoriert (cf. Wille an Meyer 28.1.1884, 313).

46. An Heyse, 12.11.1884, XII, 252.

SCHLUSS

1. Die Silbe "Myth-" erweckt nicht nur Assoziationen mit Mythos und deshalb mit dem antiken Griechenland, sondern auch mit einem Gebirge in der Innerschweiz, den Mithen; auch die Endung "-(ik)on" erweckt doppelte Assoziationen, die nach Griechenland (Helikon, Marathon) weisen und nach dem Zürichsee (Pfäffikon, Oerlikon, Zumikon etc. sind lauter Dörfer im Zürichbiet).

2. An H. Lingg, 7.6.1876, Briefe, II, 292.

3. An H. Lingg, 18.8.1877, Briefe, II, 297 (meine Hervorhebung); ähnlich an Wille, 5.12.1885, Briefe, I, 182: "Das Gethane ist für mich verblasst, es ist nicht mehr ich. Nur das Werdende bin ich selber."

4. Brunet, S. 22.

5. Allemann, Ironie und Dichtung, S. 90; René Wellek, A History

of Modern Criticism, II (New Haven: Yale Univ. Press, 1955), S. 299f.

6. Nietzsche, *Menschliches Allzumenschliches*, No. 372, in *Werke in drei Bänden*, I, 641.
7. Allemann, S. 156; S. 168f.
8. Chevalier, S. 80, S. 183, S. 220.
9. Booth, S. 268f.
10. An Haessel, 27.4.1887, *Briefe*, II, 131.
11. Bei Frey, S. 299.
12. Hermand, S. 189.
13. Vischer, *Kritische Gänge*, I, 143.
14. Kierkegaard, *Über den Begriff der Ironie*, 31. Abteilung in *Gesammelte Werke* (Düsseldorf, Köln: Eugen Diederichs, 1961), S. 332.
15. Romano Guardini, *Der Tod des Sokrates* (Hamburg: Rowohlt, 1959), S. 18.

LITERATURVERZEICHNIS

AUSGABEN

Werke

Meyer, Conrad Ferdinand. *Sämtliche Werke: Historisch-Kritische Ausgabe*. Hrsg. Hans Zeller und Alfred Zäch. 14 Bände. Bern: Benteli, 1958ff.

Briefe und Gespräche

Bebler, Emil. *Conrad Ferdinand Meyer und Gottfried Kinkel: Ihre persönlichen Beziehungen auf Grund ihres Briefwechsels*. Zürich: Rascher, 1949.

D'Harcourt, Robert. *C. - F. Meyer: La Crise de 1852-1856. Lettres de C. - F. Meyer et de son entourage*. Paris: Félix Alcan, 1913.

Koegel, Fritz. "Bei Conrad Ferdinand Meyer: Ein Gespräch." *Die Rheinlande* I, 1 (Oktober 1900), S. 27-33.

Meyer, Conrad Ferdinand. *Briefe*. 2 Bände. Hrsg. Adolf Frey. Leipzig: H. Haessel, 1908.

- und Louise von François. *Ein Briefwechsel*. Hrsg. Anton Bettelheim. Berlin: Georg Reimer, 1905.

- und Julius Rodenberg. *Ein Briefwechsel*. Hrsg. August Langmesser. 2. Aufl. Berlin: Paetel, 1918.

Zeller, Hans. "Frau Anna von Doss über C. F. Meyer: Berichte und Briefe mit einem Nachwort." *Euphorion* LVII (1963), 370-410.

SEKUNDÄRLITERATUR

C. F. Meyer

Bang, Carol Klee. *Maske und Gesicht in den Werken Conrad Ferdinand Meyers*. Baltimore: Johns Hopkins, 1940.

Baumgarten, Franz Ferdinand. *Das Werk Conrad Ferdinand Meyers: Renaissance-Empfinden und Stilkunst*. Zürich: Scientia, 1948.

Beckers, Gustav. "Morone und Pescara. Poetisches Verwandlungsspiel und existenzielle Metamorphose: Ein Beitrag zur Interpretation von C. F. Meyers Novelle Die Versuchung des Pescara." Euphorion 63 (1969), 117-145.

Bertram, Ernst. Dichtung als Zeugnis. Bonn: H. Bouvier, 1967.

Böker, Uwe. "C. F. Meyers Der Heilige: Die Bedeutung der Erzählhaltung für die Interpretation der Novelle." Studia neophilologica XXXIX (1967), 60-79.

Bridgwater, W. P. "C. F. Meyer and Nietzsche." The Modern Language Review LX (1965), 568-583.

Brunet, Georges. C. F. Meyer et la nouvelle. Paris: Didier, 1967.

Burkhard, Arthur and Henry H. Stevens. "Conrad Ferdinand Meyer Reveals Himself: A Critical Examination of Gustav Adolfs Page." The Germanic Review 15 (1940), 191-212.

Burkhard, Marianne. C. F. Meyer und die antike Mythologie. Zürich: Atlantis, 1966.

- . "Bacchus Biformis." Neophilologus 55 (1971), 418-432.

Crichton, Mary. "Zur Funktion der Gnade-Episode in C. F. Meyers Der Heilige." In Lebendige Form. Festschrift für Heinrich Henel. München: Wilhelm Fink, 1970, S. 245-258.

Faesi, Robert. Conrad Ferdinand Meyer. 2. Aufl. Frauenfeld: Huber, 1948.

Fehr, Karl. Conrad Ferdinand Meyer. Sammlung Metzler, 102. Stuttgart: Metzler, 1971.

- . "Mouton der Maler und Mouton der Pudel." Neue Zürcher Zeitung, 2. August 1970, S. 37, Spalte 4.

Feise, Ernst. "'Die Hochzeit des Mönchs' von Conrad Ferdinand Meyer: Eine Formanalyse." In Xenion: Essays in the History of German Literature. Baltimore: Johns Hopkins, 1950, 215-225.

- . "Fatalismus als Grundzug von Conrad Ferdinand Meyers Werken." In Xenion: Essays in the History of German Literature. Baltimore: Johns Hopkins, 1950, S. 180-214.

Frey, Adolf. Conrad Ferdinand Meyer. Sein Leben und seine Werke. 2. Aufl. Stuttgart und Berlin: J. G. Cotta, 1909.

Hahn, Walter L. "C. F. Meyer als Gestalter des künstlerischen Schaffungsprozesses." Pacific Coast Philology 2 (1967), 53-61.

Hamann, Richard und Jost Hermand. Gründerzeit. Epochen deutscher Kultur von 1870 bis zur Gegenwart. Band 1. München: Nymphenburger Verlagshandlung, 1971.

Henel, Heinrich. The Poetry of Conrad Ferdinand Meyer. Madison: University of Wisconsin Press, 1954.

Hertling, Gunter H. "Religiosität ohne Vorurteil: Zum Wendepunkt in C. F. Meyers Das Amulett." Zeitschrift für deutsche Philologie 90 (1971), 526-545.

- . Conrad Ferdinand Meyers Epik: Traumbeseelung, Traumbesinnung und Traumbesitz. Bern und München: Francke, 1973.

Herzog, Valentin. Ironische Erzählformen bei Conrad Ferdinand Meyer dargestellt am "Jürg Jenatsch". Diss. Basel 1969. Basler Studien zur deutschen Sprache und Literatur, Heft 42. Bern: Francke, 1970.

Hillmann, Heinz. "Conrad Ferdinand Meyer." In Deutsche Dichter des 19. Jahrhunderts. Hrsg. Benno von Wiese. Berlin: Erich Schmidt, 1969, S. 463-486.

Hof, Walter. "Beobachtungen zur Funktion der Vieldeutigkeit in Conrad Ferdinand Meyers Novelle Der Heilige." Acta Germanica: Jahrbuch des südafrikanischen Germanistenverbandes 3 (1968), 207-223.

Hohenstein, Lily. Conrad Ferdinand Meyer. Bonn: Athenäum, 1957.

Jackson, David A. "Dante the Dupe in C. F. Meyer's Die Hochzeit des Mönchs." German Life and Letters 25 (1971-72), 5-15.

- . "Schadau, the Satirized Narrator in C. F. Meyer's Das Amulett." Trivium VII (1972), 61-69.

- . Conrad Ferdinand Meyer: In Selbstzeugnissen und Bilddokumenten. Reinbek bei Hamburg: Rowohlt, 1975.

Jacobson, Manfred R. "The Narrator's Allusions to Art and Ambiguity: A Note on C. F. Meyer's Der Heilige." Seminar X (1974), 265-273.

Jennings, Lee B. "The Ambiguous Explosion: C. F. Meyer's Der Schuss von der Kanzel." The German Quarterly XLIII (1970), 210-222.

Jeziorkowski, Hans. "Die Kunst der Perspektive: Zur Epik C. F. Meyers." Germanisch-romanische Monatsschrift N. F. XVII (1967), 398-416.

Kalischer, Erwin. C. F. Meyer in seinem Verhältnis zur italienischen Renaissance. Palaestra 64. Berlin: Mayer & Müller,1907.

Kittler, Friedrich A. Der Traum und die Rede: Eine Analyse der Kommunikationssituation Conrad Ferdinand Meyers. Gegenwart der Dichtung. Neue Folge, Band 4. Hrsg. Gerhard Kaiser. Bern und München: Francke, 1977.

Kohlschmidt, Werner. "C. F. Meyer und die Reformation: Vortrag zum Herbstbott der Gottfried Keller-Gesellschaft 1958 in Zürich." Gottfried Keller Gesellschaft XXVII (1959), 1-15.

Konrad, Gustav. "C. F. Meyer - Ein Forschungsbericht." Der Deutschunterricht III, Heft 2 (1951), S. 72-81.

Kunz, Josef. "Geschichte der deutschen Novelle vom 18. Jahrhundert bis auf die Gegenwart." In Deutsche Philologie im Aufriss. Hrsg. W. Stammler. Band II. Berlin: Erich Schmidt, 1960, 1795-1895.

Langen, August. "Deutsche Sprachgeschichte vom Barock bis zur Gegenwart." In Deutsche Philologie im Aufriss. Hrsg. W. Stammler. Band I. Berlin: Erich Schmidt, 1957, 931-1395.

Lerber, Helene von. Conrad Ferdinand Meyer: Der Mensch in der Spannung. München: J. & S. Federmann, 1949.

Martini, Fritz. Deutsche Literatur im bürgerlichen Realismus: 1848-1898. Stuttgart: Metzler, 1962.

Maync, Harry. Conrad Ferdinand Meyer und sein Werk. Frauenfeld und Leipzig: Huber, 1925.

Merian-Genast, Christine. Die Gestalt des Künstlers im Werk Conrad Ferdinand Meyers. Europäische Hochschulschriften, Band 74. Bern und Frankfurt a. M.: Herbert Lang, 1973.

Mews, Siegfried: "Der fehlende Shakespeare: Betrachtungen zu C. F. Meyers Der Schuss von der Kanzel." Seminar 9 (1973), 36-49.

Meyer, Betsy. Conrad Ferdinand Meyer in der Erinnerung seiner Schwester. Berlin: Paetel, 1903.

Moos, Carlo. Dasein als Erinnerung. Conrad Ferdinand Meyer und die Geschichte. Bern: Herbert Lang, 1972.

Mühlher, Robert. "C. F. Meyer und der Manierismus." Dichtung der Krise. Wien: Herold, 1951, S. 141-230.

Müller, Günther. "Über das Zeitgerüst des Erzählens (Am Beispiel des 'Jürg Jenatsch')." Deutsche Vierteljahrsschrift XXIV (1950), 1-31.

Muschg, Walter, Tragische Literaturgeschichte. 3. Aufl. Bern: Francke, 1957.

Oberle, Werner. "Ironie im Werke C. F. Meyers." Germanisch-romanische Monatsschrift V (1955), S. 212-222.

- . "Conrad Ferdinand Meyer: Ein Forschungsbericht." Germanisch-romanische Monatsschrift XXXVII (1956), 231-252.

Øhrgaard, Per. C. F. Meyer. Zur Entwicklung seiner Thematik. Det Kongeliche Danske videnskabernes selskab. Historisk-filosofiske meddeleser. 43, 2. Kopenhagen: Munksgaard, 1969.

Onderdelinden, Sjaak. Die Rahmenerzählungen Conrad Ferdinand Meyers. Diss. Leiden, 1974. Germanistisch-Anglistische Reihe der Universität Leiden, Band XIII. Leiden: Universitaire Pers, 1974.

Plater, Edward M. V. "The Banquet of Life: Conrad Ferdinand Meyer's Die Versuchung des Pescara." Seminar VIII (1972), 88-98.

- . "The Figure of Dante in Die Hochzeit des Mönchs." The Modern Language Notes 90 (1975), 678-686.

Reinhardt, George W. "The Political Views of the Young C. F. Meyer: With a Note on Das Amulett." German Quarterly 45 (1972), 270-94.

Schimmelpfennig, Paul. Rez. von "Herzog, Valentin. 'Ironische Erzählformen bei Conrad Ferdinand Meyer dargestellt am 'Jürg Jenatsch'.'" German Quarterly XLVI, 4 (1973), 641-642.

- . "C. F. Meyer's Religion of the Heart: A Reevaluation of Das Amulett." Germanic Review 47 (1972), 181-202.

Schmid, Karl. Unbehagen im Kleinstaat. Zürich und Stuttgart: Artemis, 1963.

Shaw, Michael. "C. F. Meyer's Resolute Heroes: A Study of Becket, Astorre and Pescara." Deutsche Vierteljahrsschrift 40 (1966), 360-390.

Siegel, Hermann. "Das grosse stille Leuchten": Betrachtungen über Conrad Ferdinand Meyer und sein Lebenswerk. Basel: Rudolf Geering, 1935.

Stauffacher, Werner. "Erzählen des Erzählens: Zu C. F. Meyers Hochzeit des Mönchs." American Association of Teachers of German, Proceedings of the 42nd Annual Meeting: Bonn, Germany, June 27-July 2, 1974. Hrsg. Reinhold Grimm. Philadelphia: AATG, 1975, S. 42-54.

Sulger-Gebing, E. "C. F. Meyers Werke in ihren Beziehungen zur bildenden Kunst." Euphorion 23 (1921), 422-495.

Szépe, Helena. "Zur Binnengeschichte der Hochzeit des Mönchs." Germanic Notes 5 (1974), 40-43.

Vitt-Maucher, Gisela. "Ein Jenatsch in komischer Maske: Beziehungen zwischen C. F. Meyers 'Der Schuss von der Kanzel' und 'Jürg Jenatsch'." Colloquia Germanica 11 (1978), 111-122.

Wiese, Benno von. "Conrad Ferdinand Meyer: 'Die Versuchung des Pescara'." In Die deutsche Novelle. Band I. Düsseldorf: August Bagel, 1957, 250-267.

- . "Conrad Ferdinand Meyer: 'Die Hochzeit des Mönchs'." In Die deutsche Novelle. Band II. Düsseldorf: August Bagel, 1962, 176-197.

Wiesmann, Louis. Conrad Ferdinand Meyer: Der Dichter des Todes und der Maske. Bern: Francke, 1958.

- . Nachwort. Das Leiden eines Knaben. Von C. F. Meyer. Reclams Universal-Bibliothek, Nr. 6953. Stuttgart: Reclam, 1973, 65-79.

Williams, W. D. The Stories of C. F. Meyer. Oxford: Clarendon Press, 1962.

Zäch, Alfred. "Ironie in der Dichtung C. F. Meyers." Jahresbericht der Gottfried Keller-Gesellschaft 24 (1955), 5-17.

- . Conrad Ferdinand Meyer: Dichtkunst als Befreiung aus Lebenshemmnissen. Frauenfeld und Stuttgart: Huber, 1973.

Zum Problem der Ironie

Allemann, Beda. Ironie und Dichtung. 2. Aufl. Pfullingen: Günther Neske, 1969.

- . "Ironie." Reallexikon der deutschen Literaturgeschichte. Hrsg. P. Merker und W. Stammler. 2. Aufl. Band 1. Berlin: De Gruyter, 1958ff., 756-761.

Baumgart, Reinhard. Das Ironische und die Ironie in den Werken Thomas Manns. München: Carl Hanser, 1964.

Behler, Ernst. "Der Ursprung des Begriffs der tragischen Ironie." Arcadia V, ii (1970), S. 113-142.

Booth, Wayne C. A Rhetoric of Irony. Chicago: The Univ. of Chicago Press, 1974.

Chevalier, Haakon M. The Ironic Temper: Anatole France and His Time. New York: Oxford University Press, 1932.

Guardini, Romano. Der Tod des Sokrates: Eine Interpretation der platonischen Schriften. Hamburg: Rowohlt, 1959.

Kierkegaard, Sören. Über den Begriff der Ironie. 31. Abteilung in Gesammelte Werke. Übers. Emanuel Hirsch. Düsseldorf und Köln: Eugen Diederichs, 1961.

Koopmann, Helmut. "Thomas Mann. Theorie und Praxis der epischen Ironie." Deutsche Romantheorien. Band II. Hrsg. Reinhold Grimm. 2. Aufl. Frankfurt a. Main: Athenaeum Fischer Taschenbuch Verlag, 1974, 318-340.

Lausberg, Heinrich. Elemente der literarischen Rhetorik. München: Max Hueber, 1963.

Mann, Thomas. "Die Kunst des Romans." In Gesammelte Werke in zwölf Bänden. Band X. Berlin und Frankfurt a. M.: S. Fischer, 1960, S. 348-362.

- . Betrachtungen eines Unpolitischen. Gesammelte Werke in zwölf Bänden. Band XII. Berlin und Frankfurt a. M.: S. Fischer, 1960.

Muecke, D. C. The Compass of Irony. London: Methuen, 1969.

- . Irony. London: Methuen, 1970.

Prang, Helmut. Die romantische Ironie. Darmstadt: Wissenschaftliche Buchgesellschaft, 1972.

Richards, I. A. Principles of Literary Criticism. New York: Harcourt, Brace & Co., 1948.

Schlegel, Friedrich. Kritische Ausgabe. Band II, Abteilung 1. München, Paderborn, Wien: F. Schöningh, 1967.

Sedgewick, G. G. Of Irony: Especially in Drama. Toronto: University of Toronto Press, 1935, 1948.

Staiger, Emil. Grundbegriffe der Poetik. Zürich: Atlantis, 1946.

Strohschneider-Kohrs, Ingrid. Die romantische Ironie in Theorie und Gestaltung. Hermaea: Germanistische Forschungen. Neue Folge. Hrsg. Hans Fromm und Hans-Joachim Mähl. Band 6. 2. Aufl. Tübingen: Max Niemeyer, 1977.

Vischer, Friedrich Theodor. "Über das Komische." Bibliothek der deutschen Klassiker. Bd. 25. Hildburghausen: Verlag d. bibliogr. Instituts, 1864, 305-343.

Wellek, René. A History of Modern Criticism: 1750-1950. Band II. New Haven: Yale University Press, 1955.

Verschiedenes

Alighieri, Dante. Die göttliche Komödie. Übers. Hermann Gmelin. Stuttgart: Ernst Klett, 1957.

Chubb, Thomas Caldecott. Dante and His World. Boston, Toronto: Little, Brown, and Co., 1966.

Des-Granges, Ch.-M. Les grands écrivains français. Paris: Hatier, 1930.

"Dionysus." The Oxford Classical Dictionary, 2. Aufl. 1970.

"Dionysus." The Oxford Companion to Classical Literature. 1937.

Goethe, Johann Wolfgang von. Werke. 4. Aufl. Band IX. Hamburg: Christian Wegner, 1961.

- . Briefe, Band IV. Hamburg: Christian Wegner, 1967.

Meyer, Herman. Das Zitat in der Erzählkunst: Zur Geschichte und Poetik des europäischen Romans. Stuttgart: Metzler, 1961.

Molière. Oeuvres complètes. 2 vols. Paris: Garnier, 1962.

- . Komödien. Übers. Gustav Fabricius und Walter Widmer. München: Winkler, 1970.

Nietzsche, Friedrich. Werke in drei Bänden. Hrsg. Karl Schlechta. München: Hanser, 1966.

Schwab, Gustav. Die schönsten Sagen des klassischen Altertums. 4. Aufl. Wien und Heidelberg: Carl Ueberreuter, 1951.

Vischer, Friedrich Theodor. Kritische Gänge. 2 Bände. Tübingen: Ludwig Friedrich Fues, 1844.

Abschliessend möchte ich Frau Prof. Dr. Gisela Vitt (The Ohio State University) danken, die mir bei der Abfassung meiner Dissertation viele Stunden ihrer eigenen Zeit widmete; und meinem verehrten Lehrer, Herrn Prof. Dr. Oskar Seidlin (Indiana University), der mir vertraut und sich für mich immer wieder eingesetzt hat.
Herzlicher Dank gebührt ferner Frau Irmgard Buckel (Columbus, Ohio) für die musterhaft sorgfältige, schöne Ausführung des Manuskripts; und Herrn Dr. C. L. Lang (Francke Verlag) für seine Hilfe und Grosszügigkeit.

INHALT